D0357267

DARSE A LUZ

7 madres. 7 historias de amor

Mariana Perel

DARSE A LUZ

7 madres. 7 historias de amor

Perel, Mariana
Darse a luz : 7 madres, 7 historias de amor / Mariana Perel ; coordinado por Tomás Lambré. - 1a ed. - Buenos Aires : Del Nuevo Extremo, 2009.
176 p. ; 23x15 cm.

ISBN 978-987-609-190-9

1. Periodismo de Opinión. I. Lambré, Tomás, coord. II. Título
CDD 070.4

A. J. Carranza 1852 (C1414COV) Buenos Aires Argentina
Tel / Fax (54 11) 4773-3228
e-mail: editorial@delnuevoextremo.com
www.delnuevoextremo.com

Director editorial: Miguel Lambré
Coordinador de edición: Tomás Lambré
Imagen editorial: Marta Cánovas
Diseño de interior: m&s estudio

Primera edición: octubre 2009

ISBN 978-987-609-190-9

Impreso en Argentina. *Printed in Argentina*

A Luis,
mi amor.

A Mateo Ronn y a Jordi,
nuestros amores.

GRACIAS.

A Débora Zilberman, psicóloga (y amiga): por ayudarme a comprender, traducir y componer a estas mujeres.

A Nora Villi, Marcela Czarny, Mariela Reiman, Violeta Peroni, Ana Abregú y Laura Massolo: por la mirada crítica y paciente.

A Magalí Ventura: mi red.

A los amigos que fueron lectores; también compañía y aliento.

A Pommy, mi madre, a Jorge, mi padre; a mis hermanos Sandra y Pablo: porque los tengo; porque los quiero.

A Luis: compañero y sostén; junto a quien puedo ser mujer, madre, escritora y amiga.

A nuestros hijos queridos: el tesoro.

Introducción

Mujeres atravesadas por la experiencia de la maternidad. Un hito que plantea un antes y un después. Éste es el motor de una búsqueda que, en realidad, no acaba, sólo reposa en estas páginas para ser contada de alguna manera; la que surge de este coro de voces: las voces que forman el cuerpo de este libro.

En principio, intento retratar la simpleza. Pero no puedo, no existe tal cosa: la maternidad, como cualquier otro rol familiar, nos enfrenta a situaciones, cuanto menos, complejas. Quizá de niñas jugamos a ser madres. ¡Qué diferente es cuando el juego se hace realidad! Definitivo.

La investigación me entusiasma. Empiezo a barajar distintas ideas y posibilidades, entretejiendo las unas con las otras, cuando me encuentro en plena Avenida Santa Fe con una mujer y su bebé desparramadísimo en el coche. Después de todo lo que se puede contar durante un café y diez años de no verse, me confiesa que el vientre de su empleada doméstica acunó a este hijo suyo que desperezа su vida nueva tras la siesta. Pregunto si podría recrear la historia en el libro que no escribo todavía. Luego de consultar a su marido, no sólo se niega, sino que rehuye mis llamados. Para entonces, reconozco el tenor de las vivencias que serán escritas. Y embarcada en la búsqueda de emociones (así de) fuertes, la maternidad se me aparece en todas sus formas y variantes: en la calle sólo veo embarazadas.

Todo libro sobre madres cae, indefectiblemente, en mis manos. Cómo perderme la película de aquella adolescente que decide entregar a su hijo en adopción. Pobre mi tía abogada que en cada encuentro familiar se resigna a detallarme conflictos de maternidad a resolver en los juzgados. Ávida yo en busca de testimonios. Hasta que de a una, como parte de una selección natural y obvia, voy encontrando a mis propias mujeres. Con menor o mayor reticencia, aceptan. Su identidad será preservada, tal vez esto ayude, y sus ganas de contarse, por supuesto.

No dudo sobre el principio y empiezo por Carina quien, a pesar de no concebir, gesta a una hija propia. Aunque en Estados Unidos, aunque en un vientre extraño. ¿Qué fue de ella durante los nueve meses de embarazo?; ¿cuánto se abrió en un parto tan propio como ajeno? Pormenores del plan que pudo llevar a cabo con éxito y por internet.

Había leído sobre Luciana: una mujer venida del monte chaqueño, sola, pobre y limitada en sus capacidades. Sin embargo, fue capaz de criar a su hija querida que hoy es toda una adolescente. De un llamativo buen humor, y bonita. Luciana es fácil, responde absolutamente todo.

Cuarenta años transitó Valeria para ser madre del pequeño Milo. Tantos amores fallidos, más de un secreto, y armó una familia propia después de todo. El relato de su parto se impuso por minucioso, por descarnado. Y en tiempo real, como se tiene a un hijo.

Conozco a Mónica desde hace años. Su historia debe ser escrita: madre de una niña enferma, fue capaz de entregarse cómo jamás lo hubiera imaginado. Aprendió todo siendo madre.

Llego a Marcia primero, después a Teresa, su pareja. Ellas optaron por la fertilización in vitro hace ya muchos años; y nació Alex ¿De qué manera convive una mujer con el embarazo de la otra? ¿Cómo será que dos mujeres se acompañan a parir? Fueron Marcia y Teresa contestándome, contestándose sin saberlo, creo yo. Lejos de suponer que me habían convertido en mensajera.

El círculo comienza a cerrarse, entonces conozco a Patricia. Ella habilita a las mujeres a parir naturalmente y en casa, sin recurrir a la medicina a no ser que sea estrictamente necesario. ¿Cómo se tiene un hijo sin anestesia? ¿Qué se teme a la hora de parir? ¿Por qué será que sólo gestamos las mujeres? Los enigmas se plantean en la conversación y Patricia les da espacio y sentido. Entendiendo, como partera y madre de un adolescente, el complejo universo femenino.

¿Y por qué no incluir a aquella maestra que hace de sus alumnos sus hijos, o a quienes adoptaron, o a las abuelas que crían a sus nietos? Son muchas las posibilidades; si elegí a estas siete mujeres no fue por invalidar otras opciones, sino porque es imposible profundizar en infinitos sentidos: mi investigación tiene un límite claro en tiempo, páginas, bibliografía e intención.

Una vez seleccionadas las historias y realizadas las entrevistas de rigor, desgrabado el material y releídos los testimonios hasta el cansancio, voy encontrando formas literarias diversas. En realidad, me dejo llevar por lo que los relatos proponen. Así van cristalizándose las siluetas de estas mujeres que se cuentan de una manera, y no de otra. Respeto cada particularidad y, armado el primer borrador, me llevo sorpresas. En algunos casos entiendo el porqué de mi elección; en otros, descubro aquello que no había visto: no recorto/destaco lo que quiero, sino lo que soy capaz de ver. Con las limitaciones del caso, las propias. Colabora en la investigación el "Club de lectoras y lectores", llámense amigos, madre, sobrinos, hermanos, primas y cuñadas que me hacen recapacitar sobre lo que está dicho o lo que se esconde aún. Somos todos preguntando y queriendo saber.

Y, cabe aclarar, que este libro no debería confundirse con una apología a la maternidad. No ubico a las madres en un pedestal: las vuelvo terrestres, perturbadas, dolidas, absolutamente humanas. Es la maternidad una condición que, como otras, puede llevarnos hacia adelante, puede hundirnos también. Los testimonios, concebidos para ser leídos, irán revelando si estas mujeres han sido capaces de superar los obstáculos acomodándose a situaciones nuevas y riesgosas, pariéndose en cada parto. Vamos siendo madres de acuerdo a la que tuvimos, a la que llevamos dentro, a la que podemos ser.

Traigo a cuento una tarde cualquiera de mate con Silvina –a veinte días de su parto, después de once años de pareja– en la que confieso mis ganas de seguir escribiendo este libro. Lo había iniciado un año atrás, pero si no me encuentro atendiendo a Jordi de dos meses me toca llevar a Mateo de cuatro años al jardín y si tengo un rato converso con Luis o veo tele o duermo poco y nada, porque los cólicos, la teta, el cambio de pañales para que no se paspe, y tiene la piel tan blanquita. Esta amiga imagina que los lectores querrán saber sobre la autora, ya que, después de todo, es una más. De esto también hay aquí: soy hija, madre, esposa, hermana, amiga, periodista que escribe libros. Que se escribe en los libros. Indefectiblemente.

Sería absurdo suponer que la maternidad es un deseo de todas las mujeres; de verdad, no lo creo. Pero quienes elegimos sumergirnos en esta travesía amorosa sabemos que no hay sentimiento más conmovedor ni pleno que el ser los padres de nuestros hijos. Nuestros hijos: la trascendencia.

Celebro a quienes son capaces de maternar y paternar, a quienes entregan su amor a otros seres con generosidad. Entiendo que los hijos sólo desean ser queridos por sus padres. El desamor es lo único imperdonable.

Acabo la introducción cuando noto que las elegidas son, ni más ni menos, que historias de amor.

CARINA

"¿Qué me diferencia del papá
si yo tampoco lo parí?".

Conozco a Carina en la reunión de esta noche, ninguna casualidad. El "sí, quiero" integrar el libro previsto por una amiga en común, nos fuerza a una presentación tan formal como innecesaria. El diálogo iniciado días atrás por teléfono, continúa: la diferencia es que también insisten sus ojos claros.

—No entiendo cómo hay mujeres solas que quieren tener hijos; lesbianas que se inseminan, un desastre. ¿Y los pobres chicos? ¿Alguien los consulta? ¡Qué minas egoístas!

Quiere saber sobre las demás entrevistadas.

—Allá las otras. Yo puedo contarte todo, absolutamente todo, ¿por qué no? Y si querés escribir mi nombre y apellido, está bien, no tengo nada que ocultar. Lo que me sorprende es que hayas elegido una historia como la mía. Es tan poco interesante.

Había preguntado por mi embarazo, yo lo sabía.

—¿Y tu panza?

Dos semanas después, conversamos en su departamento orientado hacia la Avenida Libertador. Con un cuarto para el matrimonio, otro listo para Thomas, motivo de la reciente mudanza. Sus puertas cerradas. Nos instalamos en un living que incluye un ventanal muy alto hacia la calle: fortaleza erguida para protegernos de los sonidos urbanos; mientras, la claridad nos deja ver más allá. Nos acomodamos en dos sillones blancos, flamantes y suaves. Hasta que Carina alcanza/exhala el primer punto y seguido. Y dirá.

—Cuando perdí el primer embarazo fue terrible. Vengo de una familla hedonista: vamos a los mejores hoteles, tomamos los mejores vinos, leemos los mejores libros. Si controlo todo y siempre tengo lo que quiero: ¿cómo se me va a escapar alguna cosa? A mí, la maternidad, como todo lo que había querido, se me iba a dar.

A Gustavo lo conoció poco tiempo atrás. Biólogo, abocado a la investigación, dos años menor. Soltero y sin hijos. Ella, gestora, artífice de su propia empresa.

—Nos presentaron apenas cumplí los treinta y siete. Los dos veníamos de matrimonios fallidos. Apenas empezamos a salir, me dice: "¿No te parece?, me cansa ir y venir con el bolsito". Estaba bien para mí; nos establecimos en casa. A los pocos meses y a punto de irnos de vacaciones, comenta: "Hace poco que estamos juntos pero podríamos..., nos va a costar un tiempo, pero podríamos intentarlo".

Cuando conocí a Gustavo el reloj biológico no existía para mí, me interesaba vivir el momento. Él estaba más pendiente de construir algo. La cuestión es que nos fuimos de viaje. Yo no tenía idea de lo que era buscar, ni registraba la fecha de ovulación, sólo sabía que, si no te cuidabas, quedabas embarazada. Y, efectivamente, en febrero, quedé. Era obvio para mí, si siempre conseguía lo que quería. A fines de marzo lo pierdo: baldazo de agua fría. Salí dura de la clínica, no entendía nada.

Gustavo, en su anterior matrimonio, había buscado embarazos sin lograrlo. La ex mujer tenía problemas de útero. Después de fracasos de todo tipo, habían decidido adoptar cuando ella se deprimió y lo abandonó. O sea, él venía golpeadísimo.

Irá de a poco ordenando las fichas de este juego que le dominó la vida.

—Descubría que estaba embarazada y, tres días más tarde, me tocaba la panza. Sabíamos que teníamos que vivir todo muy rápido porque no iba a durar: a las dos o tres semanas los perdía; así pasé tres embarazos. Era muy terrible, inmanejable. Con la primera pérdida te preguntás qué hiciste mal, por qué fuiste a trabajar ese día. Hasta que te das cuenta de que no estaba en tus manos. Después, vinieron las consultas médicas, una búsqueda desesperada de "solucióneme lo". Fuimos a ver al mejor especialista de útero. En la sala de espera, la mitad de las mujeres tenía deformidades de útero; la otra mitad, cáncer de útero. El médico me pidió varios estudios. Conclusión: mi problema es que me falta una parte del ovario y además lo tengo suelto, se formo así, es un útero unicornio. Hay mujeres que con este problema logran embarazarse, yo no pude. Las paredes de mi útero son muy fibrosas, no se estiran, entonces el embrión no se prende.

—De las heridas a las cicatrices, de inmediato.

—Hay una película muy estúpida que protagoniza *Michael Douglas*, en la que él se baja del auto, enloquecido por el tránsito, y empieza a matar gente. Se llama *Días de Furia*. Bueno, a mí me pasaba algo parecido: las pérdidas no me provocaban depresión, me enfurecían. Una tarde veo venir por la calle a una embarazada que se resbala y se cae. Sentí placer. Me quise matar, pensé que estaba volviéndome loca. Loca mal. Para peor, no soy nada creyente. A veces me ponía a hablar con otras mujeres en las salas de espera de los médicos, y ellas me decían cosas como: "Si Dios no quiso, o si no tiene que ser…". Jamás se me cruzaron esos pensamientos bíblicos.

—Pero se cruzaron otros. ¿Cuáles?

—La idea original de alquilar un vientre fue de Gustavo. Cuando el médico me dijo por segunda vez –la primera no lo había podido escuchar– que no insistiera porque no iba a andar, él me habló del alquiler de vientre. Creo que después de habérmelo dicho se arrepintió. Él hubiera adoptado. Peleamos tanto por este tema. Gustavo quería tener una familia conmigo, no le importaba si venía por adopción o por genética. Pero se sentía mal por mí, me veía destrozada. Además, cuando empezaron las complicaciones, él se hizo mil análisis. No podía creer que le pasara lo mismo con dos mujeres, estaba seguro de que el problema era suyo, pero no. Después le traje todo cocinado y me quiso dar el gusto.

Entiendo que la adopción podría haber sido un camino más fácil, pero hay algo cultural, poderoso: esto de transmitir de generación en generación que se es judío con el cuerpo, con la sangre. Hasta tiene que ver con el coeficiente intelectual, con la capacidad de entender los chistes; todo. Es difícil de explicar, pero es así. De qué otra manera se entiende que tantas mujeres de los foros de Internet que se concentran en estos temas sean judías. Mujeres duras de bajar, guerreras, poderosas, sabias.

Cuenta que con el objetivo claro, se dispuso a investigar, sola, y hasta muy pasada la noche, en la oficina. La búsqueda se convirtió en un túnel oscuro del que salía pocas veces. Parecido a la obsesión.

—En principio, pensé en hacerlo en Buenos Aires, con una *shikse*.[1] Pero al ser ilegal era complicado porque, llegado el momento, si la que te alquila el vientre se revira y se quiere quedar con el bebé, sonaste. Y si se le ocurre denunciar al médico, le hace perder la matrícula. Tremendo lío, es ridículo. Ante esta perspectiva, le aseguré a Gustavo que haría todo sin moverme de casa, por Internet. Encontré varias opciones en Estados Unidos, donde sabía que el *surrogacy* –así se traduce al inglés, significa "ponerse en el lugar del otro"– se practica en varios estados y legalmente. Hay páginas donde una persona o una pareja publican un aviso contando su situación. Las partes se citan, se conocen, pactan cómo hacerlo y ya. Surgieron varias opcio-

1. Empleada doméstica judía.

nes hasta que se me ocurrió que lo mejor sería buscarme un abogado especialista en *surrogacy*. Encontré a un tal Brandon que me dio confianza. Él me recomendó a Tara, una irlandesa-budista casada con un judío americano. Me gustó. Manejaba sola la agencia y no cobraba tan caro como las demás. Hablamos varias veces por teléfono hasta que la elegimos y decidimos ponernos a trabajar.

Así como preparar la tierra

Tara tenía en su agencia una base de datos que Carina consultó, prefería tener las ideas claras antes de transmitírselas a Gustavo. Una a una, las opciones aparecían y desaparecían.

—A la base de datos hay que tomarla con pinzas porque quizá una mujer se ofrece para llevar un embarazo, pero después se arrepiente. Es más, hay muchas que se postulan a varias agencias pero, cuando las convocan, es tarde: se comprometieron con otra pareja. Las agencias no se hacen cargo de las mujeres que se postulan en la página web, eso está clarísimo. Lo que exigen, siempre, es que presenten algunas condiciones básicas: estar casadas y con hijos propios, tener buenas experiencias de embarazos y un medio económico-social estable. Tara nos sugirió –porque sí cabe recomendar– a una cubana. Nosotros preferíamos a una anglosajona. En ese momento, no sabíamos por qué. Yo debo haber pensado que si hablábamos el mismo idioma tendríamos roces. Por otro lado, una médica me había dicho que cuanta más disparidad hubiera en el origen genético, más éxito tendría la dupla. Una negra y una blanca tienen más chances de gestar que dos negras y dos blancas. Justamente, por este motivo, la médica me había sugerido que el vientre no fuera de una mujer judía. A pesar de que la religión dicta que es judío –exclusivamente– cuando se nace de un vientre judío. Después de barajar varias posibilidades, nos propuso a otra mujer. Vi su foto y me pareció que tenía cara de buena, me gustó. Vinieron los estudios médicos de esta fulana, nunca supe su nombre. Nuestro médico, Guillermo, debía revisarlos. En uno de los cinco embarazos ella había tenido diabetes estacionaria, por esto la desechó. Me puse re mal, como loca: "¿Cómo se te ocurre rechazarla?", le grité, "No entendés nada". Claro, habíamos tardado un montón en elegirla. La cuestión es que volvimos a cero. Convenimos con Tara que publicaría un aviso en el diario, solo para nosotros, un miércoles. Ese mismo día me envía un mail diciéndome que necesitaba comunicarse por teléfono conmigo de manera urgente. Dejé la oficina y fui a casa para hablar con tranquilidad. Entonces Tara me dijo que había encontrado la que, a su parecer, era la mujer perfecta. Así empezamos a trabajar con Dorothy. Guillermo leyó su informe médico y resultó que no era buena, ¡era espectacular!

Hacen contacto las protagonistas de este relato.

—Fue hasta ridícula la manera –y la manera siempre es la misma– de empezar a trabajar en *surrogacy*. Nuestro primer acercamiento fue telefónico. Ninguna de las dos sabía qué decir, como cuando te presentan a un tipo ¿de qué hablás? Ella nos preguntó por qué habíamos tenido tantos problemas para quedar embarazados, por qué habíamos llegado a la instancia de necesitar alquilar un vientre. Yo quería saber sobre su vida. Dorothy es enfermera aunque, en aquel momento, se empleaba como recepcionista en un restorán. Me contó que trabajaba los viernes, los sábados y los domingos; que tenía tres hijos; que su marido se llamaba John y que era encargado, desde hacía quince años, del supermercado más grande de Texas. Le pregunté por qué se había postulado en la agencia. Ella me contestaba con frases hechas: que le pareció *exciting* y que quería *to help another couples*. A Dorothy la fui conociendo a medida que pasó el tiempo. Rarísimo.

La primera charla estuvo bien. Aunque yo no esperaba gran cosa de ella, ni recibí gran cosa. La elegí por sus informes médicos y porque Tara me inspiraba confianza.

Carina, a pesar de que había prometido contarlo todo, aceptó que la entrevistara bajo la condición de no revelar el costo de la transacción. De ninguna otra manera. Sólo para satisfacer mi curiosidad encendió la notebook *y rescató de los* websites *especializados sobre* surrogacy, *contratos estándar. Pero no los leyó, priorizó lo importante.*

—En las negociaciones hay tres puntos a tener en cuenta, primero: si el embrión tuviera anomalías, la *surrogate* debería estar dispuesta a abortar. Yo no hubiera pactado con alguien que no estuviera de acuerdo con este punto, no quiero un bebé con fallas y, personalmente, no creo que el aborto sea matar a un ser humano. Sé que hay muchas mujeres que alquilan su vientre y jamás abortarían. Segundo: la reducción selectiva. En el útero se colocan tres embriones que empiezan a crecer, pero sucede que uno de ellos crece menos que el resto o los latidos son débiles, entonces, el médico aconseja abortar este embrión con problemas. Este procedimiento duele mucho, además es peligroso. Hay mujeres que se oponen. Para nosotros, ésta era otra de las exigencias. Otro tema a tratar es la relación entre los padres y la que alquila el vientre. Podés conocerte el día que firmás el acuerdo y nueve meses después, durante el parto. Te vas enterando de tu embarazo a través de la agencia únicamente. La otra opción es mantener una relación relativamente fluida. La que se pueda, porque los futuros padres deben –ésta es otra de las pautas– mantener distancias. No está permitido que vivan en la misma ciudad; esta condición marca un límite claro.

Estuvimos de acuerdo con estos tres puntos, y con el resto. Firmamos.

—El marco jurídico ampara la relación virtual: papel y sangre.

—Un escribano en Buenos Aires certificó la firma del contrato. Lo enviamos por correo y Dorothy lo firmó frente a un escribano americano. Un abogado, contratado por nosotros, conservó el documento en su despacho. Al principio desconfiábamos. A medida que fueron pasando los meses, nos dimos cuenta de que estábamos equivocados: en Estados Unidos es más importante el valor de la palabra que el de los documentos. Por otro lado, si hay un buen acuerdo, no hay riesgo de conflicto legal. En este sentido, nos quedamos tranquilos.

Fijos sus ojos en la pantalla de plasma de la computadora que encaja entre las piernas y las manos blancas. Dispuesta a rescatar información que considera esencial dar a conocer. Carina, ya experta.

—Tengo entendido que el *surrogacy* se practica legalmente en Alemania, Rusia, India, Reino Unido, la parte inglesa/americana de Canadá, Australia, Brasil, Corea, Tailandia, Israel, Hungría, Holanda y en algunos estados de Estados Unidos. Supongo que no se practica en otros lugares porque podría verse como una mera transacción económica; y lo es, pero también es otra cosa. En nuestro caso, al menos, lo ha sido porque hemos logrado una relación con Dorothy y su familia. Pero sé de otra gente, algunas estrellas de *Hollywood*, que no tuvieron ningún contacto, entonces realmente se trató de una transacción comercial. También hay casos donde la *surrogate* no quiere tener vínculo con los padres porque le parece una pérdida de tiempo atender sus llamados, contestar sus mails; y a los futuros padres tampoco les interesa conocerla. Quizá porque no tienen elaborado el no haber podido gestar a su propio hijo.

Por primera vez, algo de encono en su voz.

—Supongo que está prohibido en la mayor parte del mundo porque se podría entender que la gente desesperada y con dinero hace cualquier cosa. El alquiler de vientre podría tomarse como una venta de órganos. En realidad, sería un alquiler de órganos. No lo sé, para mí es algo maravilloso, es la herramienta que va a permitirme construir una familia propia.

Le comento la reacción de una mujer norteamericana, radicada en la Argentina, que cuando supo que nos referimos al surrogate *como alquiler de vientre, se horrorizó: "¿Acaso no es algo bueno que uno hace por el otro?", repetía como desorientada. Carina mastica estas últimas palabras en voz baja. Las saborea.*

—¿Los demás?

—Me importaban un pito. De hecho me enemisté con un montón de amigos que no estaban de acuerdo, pero yo sólo me concentraba en llevar a cabo la tarea. Y con éxito, había tanto por hacer, por decidir. Hay fertilizaciones que se hacen con ciclo congelado: te estimulás y conservás los embriones que te sobran; la otra, se consigue con el ciclo fresco. Nosotros elegimos el ciclo fresco. Cada intento, antes de que se produzca la transferencia, lleva necesariamente tres meses. Dos meses antes del ciclo menstrual nos medican a las dos. Esto implica que ambas debemos tomar medicaciones a las nueve de la mañana y a las nueve de la noche. Así los ciclos menstruales, tres meses después, se inician el mismo día. Necesitás sí o sí de la otra mujer para que el tratamiento funcione y, la verdad, es que asusta depender de alguien que no conocés. Yo inicié el tratamiento acá, en Buenos Aires; ella en Texas. Empiezan a estimularte el primer día de la menstruación, esto dura catorce días. Los óvulos tienen que crecer hasta veintiún milímetros para que puedan fertilizarse, si no crecen lo suficiente, la estimulación se estira más allá de los días pensados. La estimulación se hace con inyecciones milimétricas: a las nueve de la mañana y a las nueve de la noche, ni un minuto más, ni un minuto menos. Terrible. Paralelamente, en esos catorce días, a la *surrogate,* también debido a la estimulación, se le engrosan las paredes del útero. Ese engrosamiento produce un colchón que permite que se prendan los óvulos fecundados, porque es pegajoso. O sea, mientras a mí me estaban manejando el ciclo para tener óvulos fértiles, a ella le manejaban el ciclo para que sus paredes recibieran el embrión. El día catorce te sacan los óvulos, los fecundan con el esperma de tu marido, lo dejan tres o cuatro días, esperando que crezcan, y después los implantan en el útero alquilado. Para esta última parte del tratamiento fue necesario que viajáramos a Estados Unidos.

Por momentos, Carina presenta a la angustia como a una protagonista más. Entonces se hace a un lado, deviene en espectadora.

—Lo que me pareció de ciencia ficción es que mientras hacíamos la estimulación, Dorothy me preguntó: de haber tres embriones, ¿cuántos querríamos usar? Le contesté que lo teníamos que decidir entre todos, porque era su panza, que yo imaginaba que no sería lo mismo llevar un bebé que tres, ¿o sí? Me parecía increíble que ella no quisiera participar de la decisión. O sea, realmente, me dio su cuerpo. El mismo médico le pidió que opinara, pero ella se había entregado a nuestra decisión. Finalmente, implantamos tres embriones.

Antes, en las fertilizaciones se usaban todos los embriones, por eso salían trillizos, quintillizos. Ahora la ciencia avanzó tanto que se pueden elegir los mejores, ya que la probabilidad de éxito es del cincuenta por ciento.

—¿Cómo es Dorothy?

—Es muy cándida, siempre sonríe. Pero, a la vez, es dejada y primitiva. De pronto estábamos en su casa y escuchábamos que los hijos preguntaban qué había para comer y ella no se hacía eco de la pregunta, seguía de lo más tranqui, tirada en el sillón. Para el embarazo nos pareció bárbaro, el tema es que ella siempre es así. Nosotros ya decidimos que Thomas va a heredar su pachorrismo.

La verdad es que era un poco raro estar en su casa, la situación no ayudaba para que la relación entre ellos y nosotros fuera fluida; es más, nos generaba terrible estrés. Pero tanto Dorothy como John fueron siempre muy amables y buenos anfitriones. Con él también tenemos una relación linda, casi carnal, porque de intelectual nada, pura corriente de afecto.

—¿El valor de su cuerpo?

—Dorothy es la Virgen María, y su vientre un hotel cinco estrellas. Pero no es la madre de nuestra hijo y jamás tuvo un gesto que pudiera confundir a nadie. Thomas es más nuestro que el hijo de una persona que haya parido con normalidad, porque lo fuimos haciendo. Lo gestamos desde nuestro cuerpo: con las agallas que están en las tripas para darnos coraje; con las piernas porque fuimos y vinimos un montón de veces, con la cabeza para ocuparnos de la logística; con el bolsillo, si pudiera ser una parte del cuerpo; con la panza y con los muslos, porque en ambos lugares tuve que darme muchísimas inyecciones; con el corazón. El esfuerzo, los sueños, los terribles miedos. Lo único extraño es el útero.

Y pasamos por situaciones muy complicadas.

—Cada apuesta, una ilusión.

—Hicimos un primer intento, nada. Me estimulaban, pero no tenía óvulos, o no crecían lo suficiente. Suspendimos el viaje.

Segundo intento, lo mismo. La única razón posible: mis cuarenta años. Qué angustia.

El tercero, consigo ovular y viajamos. Dorothy se hace un *homeprevent*[2] que compra en una farmacia. Da un positivo dudoso. Festejamos. Días después, un análisis de sangre demuestra que el embarazo no se ha logrado. Bajón total. Pasan tres semanas, Dorothy nos comunica que tiene un quiste en el ovario. Tremendo. Finalmente, lo disuelven a través de medicación. Ella podría haber dado marcha atrás, pero no.

Cuarto intento. Ovulo, viajamos. Implantamos los embriones en su vientre. De vuelta en el avión:

2. Test de embarazo.

—Se terminó —dice Gustavo.

—¿Sí? —yo, irónica.

—Hasta acá llegué.

Él dispara sólo frases cortas. Agobiado.

—Vos bajate, que me consigo un donante y sigo.

—*¿Hasta cuándo así?*

—El jueves 6 de febrero Dorothy tiene cita para un análisis de sangre. Le ruego que no me adelante nada, demasiada franela para un solo corazón. Lo mismo le suplico a Tara. Pero el martes anterior al análisis, me escribe un mail: "¿Te cuento lo que no querés que te cuente?" La mandé a cagar no sé en qué idioma y seguí con mi vida: los hechos o nada. Pobrecita, no tenía la culpa, pero la quería matar. Tres días después suena el teléfono, era Tara –que es muy reticente a llamar por teléfono, siempre manda mails y la odio por eso– que empieza a darme charla, pero de nada, y me hizo esperar en línea. La escucho discar y aparece la voz de Dorothy. Les pido a las dos que, *please*, si me van a decir que se hizo un *home-prevent*, cambiemos de tema. Pero Tara me frena y me ruega que escuche a Dorothy. Entonces, me entero de que fue al hospital porque se sintió mal, que le hicieron un análisis de sangre y le dio positivo. Efectivamente, estaba embarazada.

—*Percibe mi entusiasmo*.

—Te equivocás, ninguna novela rosa.

Harta Carina de mí suponiendo alguna alegría en el relato.

—Nos angustiamos todavía más. Una cosa es imaginar cómo va a ser, otra es lograrlo. Es re-loco que otra persona lleve tu embarazo en un lugar tan alejado. Un nuevo capítulo, grave. Para nosotros embarazo era sinónimo de final trágico. Cuando por fin nos relajamos y confiamos en que todo iba a andar bien, Dorothy empezó con pérdidas. Yo me quedaba despierta toda la noche esperando a que el teléfono sonara. Y durante el día, estaba absolutamente pegada a la computadora de la oficina, pendiente de los mails. Por otro lado, hasta ese entonces no me había planteado qué hacía Dorothy mientras llevaba a mi hijo en su vientre. Ella tiene veintiocho años y el marido treinta, son muy jóvenes, muy físicos. Nunca me animé a preguntar si podían coger o no. El peligro estaba en todos lados. Dorothy, como la mayoría de los norteamericanos, adora la comida chatarra. Me acordé de que una vez abrió la cartera y tenía un montón de pastillas. Cuando Dorothy se embarazó, me entré a desesperar. Y, como si fuera poco, los primeros cuatro meses tuvo que tomar hormonas. No podría explicarlo médicamente, pero los embarazos por fertilización, ya sea en tu propio cuerpo o en otro alquilado, prosperan solamente con la inyección de hormonas dos veces por día. Hay *surrogates* que perdieron embarazos y los padres nunca supieron si fue porque la mujer abandonó la medicación, o por mala suerte simplemente. Además, quién no se olvida de tomar un remedio; son demasiadas cosas. Hasta que te acostumbrás y pensás que, si no sabés nada, es porque está todo bien. Pero cuesta llegar a esa instancia, tiene que haber pasado tiempo.

Mesa larga en casa de amigos celebrando Pesaj. Carina brindó por un embarazo de cuatro meses que sólo podía imaginar.

—Gustavo tenía una angustia oral terrible, terminaba su plato y miraba para ver qué había quedado en la cocina y seguir comiendo. Una vez dijo que necesitaba chocolate y se fue rajando al kiosco, eran las doce de la noche. A mí me agarró por los libros. Siempre fui una enferma de la lectura, pero cuando me entró a ganar la desesperación lo único que leía era: *Surrogacy Today, Surrogacy tomorrow*. No podía concentrarme en ningún otro tema.

Muestra la imagen de Thomas de cinco meses: silueta en sombras que presumen/traslucen lo que vendrá.

—Llegó el momento de ver la panza. El embarazo venía bien, pero yo estaba segura de que iba a salir todo mal. La cuestión es que tuvimos problemas. De hecho, el avión que nos tomamos aterrizó de emergencia en Brasil y tuvimos que volver a Buenos Aires. Viajamos al día siguiente. No soy nada cabulera, pero pensé que esta vuelta era un muy mal augurio. Tenía miedo de llegar y ver que la panza no existía. Cosas estúpidas, porque no me podría haber engañado en las fotos, pero para mí todo era posible. Llegamos el domingo en vez del sábado como habíamos planeado. El lunes ella se haría una ecografía, iríamos todos juntos. Cuando vi a Thomas en la ecografía me tranquilicé. Absolutamente. Además, el estar con Dorothy, conocer su panza, verla comer mejor de lo que creía, estar con ella fue muy bueno para mí. Mi hijo dejaba de ser virtual para estar en una panza.

En este viaje conocimos a su médico y al abogado. Nosotros habíamos hecho un contrato, ahora nos tocaba homologarlo ante el juez. Nos encontramos con el abogado para firmar los escritos. Estuvimos charlando como una hora y media. Salió todo perfectamente.

Nos animamos a imaginar el futuro, aunque preferí no comprar nada. No por cábala; si con cinco meses de embarazo lo perdía me tiraba abajo de un tren.

Distendidos, nos fuimos Gustavo y yo de viaje. Hacía bastante tiempo que no la pasábamos bien.

—¿Te sentías embarazada?

—En lo absoluto, nada de dulce espera. Para mí todo iba a empezar cuando Thomas naciera. En las sesiones de terapia decía que me faltaban referencias para darme cuenta de que el bebé existía. Por eso miraba tanto la ecografía y las fotos de Dorothy embarazada. Tuve que esforzarme para imaginar el embarazo y por momentos se me complicaba. A veces la psicóloga me comparaba con otras mamás que se tocan la panza y sienten una patada, pero no están tan en contacto con el bebé, en cambio yo sí.

—Ese vientre era como suyo, pero no. De la otra, tampoco.

—Dorothy me dijo que, cuando el bebé se moviera, me avisaría, pero no lo hizo, nunca me dejó tocar "mi" panza. Yo la miraba todo el tiempo, no era tan grande como esperaba. En realidad, la comparaba con la de Sandra, una compañera del trabajo que llevaba su mismo tiempo de gestación. Hace diez años que nos conocemos, pero nunca habíamos intercambiado más que un saludo. No tenemos nada en común, como me pasa con Dorothy. Y de repente, me encontré charlando con ella todos los días, y mucho. Ella había decidido que compartiríamos el embarazo, fue muy generosa. Me contaba detalles cotidianos. El tema es que si Sandra estaba de espaldas no notabas nada, hasta que se daba vuelta y le veías la panzota. Ella es alta y delgada, a diferencia de Dorothy, que es bajita y gordita, con un culo enorme y unas gambas tremendas. Cuando la vi, no pude evitar compararlas. Venía con otra idea, pelotudeces mías.

Responderá Carina tan convencida ahora. Varios meses después, todo lo contrario.

—Le prometí a Dorothy que tendría una foto suya en mi mesita de luz, por siempre. Y que mi hijo sabría quién es ella. Es posible que, alguna vez, hasta la conozca, pero no quiero quedarme pegada. Ella no es una amiga, no es tía del nene: es un vehículo. No la vamos a esconder pero tampoco va a ser parte de nuestra vida. De esto se habla en los foros de Internet, todos lo tienen claro.

—Y conversará con Thomas a su debido tiempo.

—Sé que a los dos o tres años conviene contarles a los chicos cómo fueron gestados, cómo nacieron. Hay un libro editado en los Estados Unidos que habla exclusivamente del tema, todavía no lo leí. Aunque supongo que no va a ser un problema porque una vez que nació, ya pasó todo. Cuando converso con mi cuñada ella se refiere a su hija, no se la pasa recordando su embarazo. Según Gustavo, Thomas no va a estar interesado en saber ni le va a dar importancia. Me parece que tiene razón. No sé si es comparable, pero a mí me recuerda al problema que tuvo mi hermano. Él nació con el cordón en el cuello, tiraban para sacarlo y se ahorcaba cada vez más. A mis viejos les previnieron que no esperaran un desarrollo intelectual importante. De hecho, mi mamá lo mandó a una escuela de doble escolaridad, aunque mi padre y mis abuelos se oponían. Para ellos fue un problema pero no para mi hermano, porque de alguna manera él no lo sufrió. Creo que Thomas va a sentir algo parecido. Cuando escuche el relato por décima vez, va a putear: "¿otra vez con lo mismo?".

—*A menor temor, ¿más de qué?*

—Aparecieron mis fantasías de mamá con un gran paquete: el rollo con mis viejos. Vengo de una típica clase alta judía. Mi papá, de la nada, hizo una gran fortuna. Los dos viven como reyes, se la pasan regalándose cosas, dándose la gran vida. Cuando éramos chicos viajaban todo el tiempo y nos dejaban al cuidado de mi abuela. Mi hermano iba al jardín de infantes, las maestras se quejaban porque nadie asistía a las reuniones de padres. Yo estaba en segundo grado, me desesperaba, le pedía a mi *bobe*[3] que me ayudara, que fuera ella. Siempre fue así. En la adolescencia nos soltaron a los tres hijos. Esto provocó un gran divorcio generacional: mis padres contra nosotros. No es casual que, actualmente, mi hermano viva en Barcelona con su mujer y sus dos hijas y mi hermana en Israel. Gustavo insiste en que intente arreglar las cosas, pero no puedo perdonarlos. Soy capaz de entender que por fruto del amor una persona pueda pegarle a la otra, hasta eso llego. Digo, te podés equivocar una vez, podés decir algo terrible y arrepentirte, ¿pero hacerlo dos veces? ¿Tres veces? No.

Y me pregunto cómo van a tratar a mi hijo. Mi mamá, seguramente, va comprarle mucha ropa. Mi papá es igual, la diferencia es que la manda a ella a hacer las compras. Los dos dan plata y regalos y cobran en afecto. Ellos no me acompañaron para nada en todo este proceso tortuoso, y cuando nazca el bebé dudo que nuestra relación cambie. No sé por qué, pero hablo de la maternidad y se me aparecen ellos. Será porque con Gustavo vamos a ser familia. Sus padres son lo contrario: no hay temas de plata y todo lo que circu-

3. Abuela

la entre ellos es el amor. La pena es que vivan en Entre Ríos. Estamos solos en Buenos Aires, no me gusta nada.

A tres meses del parto, John, marido de Dorothy, se enferma.

—Cuando me enteré de que tenía leucemia me quería tirar por el balcón. Enloquecí. ¿Por qué no el vecino de enfrente? Gustavo se sentó frente a la computadora, se le caían los lagrimones. Ya basta, repetía.

Yo lo llamé a Guillermo, nuestro médico, desesperada, quería que me prometiera que el bebé no iba a sentir nada. Dorothy, por teléfono, me aseguraba que lloraba lo menos posible. Lo insólito es que el día en que al marido le detectan leucemia y lo internan, ella tenía turno con el obstetra. La cita era a las cuatro de la tarde. La llamé por la noche para saber cómo estaban, descontando que había faltado a la consulta, pero no. Impresionante.

Se impone algo de silencio. Sus manos van y vienen. Liberan la nuca, la cubren, una y otra vez.

—A veces pienso en que otra mina cogió de parada y quedó embarazada. Porque yo estoy contando lo más lindo; no detallo que en alguna parte del camino de las lágrimas te hacen un estudio de diagnóstico para el cual te inyectan un líquido en el útero y es como si entrara una pala mecánica a sacarte algo del cuerpo. La sensación es terrible. Te sometés a tantas experiencias dolorosas, es una detrás de la otra.

Y una vuelta más de tuerca: empecé un tratamiento médico que anula la menstruación para que pueda amamantar. Te medican durante seis semanas, hay que tomar la dosis cada dos horas. Además, tenés que bombearte las lolas cada tres horas. Pero más que una solución, terminó siendo un problema. Porque poder amamantar tiene que ver con el estrés (lo dicen los médicos) y yo voy a estar en Texas con un bebé recién nacido. Un estresaso. Empecé el tratamiento y lo dejé. Me agobió.

Abandona el sillón para mostrarme los implementos necesarios para esa preparación que la puso mal desde un principio. Está todavía arrepentida y con los aparatos en cada mano, cuando pregunto por Dorothy, imaginando qué será de ella en estos días.

—Lleva lo más bien el embarazo, aunque se queja porque el bebé patea. Imagino que patea tanto como los otros, pero, al no ser su hijo, le molesta. Por otro lado, me contó que sus bebés nacieron muy grandes y ella lo relacionaba, erróneamente, a los treinta kilos que engordó en cada uno de sus embarazos. En el nuestro lleva engordados trece kilos solamente. Para nosotros es buenísmo, y creo que demuestra que lo tomó de otra manera, con otra responsabilidad, sin ansiedad. No está esperando a su hijo, no va a cambiarle la vida cuando nazca. De hecho, no creo que a Dorothy le esté pasando demasiado. Ella tiene sentimientos muy positivos respecto de nosotros, pero no respecto del bebé. Es difícil de explicar y de entender. En el contrato, ella tiene previsto que nosotros le tendríamos que pagar uno o dos meses de terapia si llegara a tener depresión posparto. Yo fantaseo con que la voy a llamar tres o cuatro días después del nacimiento para saber si siente tristeza y con que ella me diga: “Tristeza, ¿por qué?”.

Me intriga saber cómo es capaz de embarazarse, de entregar el bebé y seguir con su vida.

—¿Por qué lo habrá hecho?

—La solidaridad está muy presente en su familia: el padre y el hermano son bomberos, ella es enfermera, como su cuñado. Todos quieren hacer el bien. El americano de pueblo todavía guarda el valor de ayudar al prójimo. Cuando John se enfermó de leucemia, los vecinos se movilizaron: un grupo se ocupó de juntar fondos, otros los ayudaron con la limpieza de la casa, el resto hizo las compras del supermercado. O sea, que lo que están haciendo por nosotros tiene sentido para ellos. Y necesitan la plata, claro. No sé bien para qué, pero la necesitan. ¿Querés escuchar a Dorothy?

Carina se levanta y vuelve a esa notebook que parece contenerlo todo. Pide algo de paciencia. Minutos después, escucho a la locutora que presenta en un inglés típicamente norteamericano a una tal Dorothy, que ha convenido prestar su vientre al hijo de otra mujer.

—It's your first time as a surrogate and you already have three children... what can you tell us about these two experiences?

—No problem at all, really... I am so happy to help other people.[4]

Y continúa contando que tuvo la suerte de acercarse a una buena agencia que le consiguió the perfect couple. *Carina busca el stop, adelanta la conversación y se detiene cuando la locutora le pregunta cómo cree que se sentirá cuando entregue al bebé.* "Great", *contesta.*

—Tanto el óvulo como el esperma pertenecen a una pareja argentina... totalmente ajenos a vos, ¿cómo es que tu cuerpo aceptó esto?—, pregunta la locutora, hacia el final.

—Con mucha *medication*, el cuerpo tuvo que aceptarlo. *But, no problem.*

—*Dorothy, I have to thank you, because*, y cierra con: "sin gente como vos, otras parejas no podrían tener hijos. Y como decías *–evidentemente en un tramo del reportaje que no escuchamos–*, esto es un poco mejor que la adopción porque estás teniendo hijos con tus propios genes.

A Dorothy se la escucha alegre, hasta aniñada.

Dejamos a la otra en su formato digital y pisamos la Argentina. Esta parte de la historia.

—Hace un tiempo salimos con una pareja y él nos contaba que su hija de seis meses llora de noche y que esto les genera peleas. Nos sugirió que habláramos del tema antes de recibir a Thomas. Como

4. —Es la primera vez como *surrogate* y ya tuviste tres hijos... ¿qué puedes decirnos acerca de esas dos experiencias?
—No hay ningún problema, en serio. Soy muy feliz de poder ayudar a otra gente.

Gustavo es muy prolijo, al otro día cuando estábamos por dormir, planteó el tema. Le dije que psicológicamente me faltaba tanto para llegar a eso: antes debía dejar la oficina, viajar a Estados Unidos, instalarme, ver la panza, esperar, son cosas grosas. La maternidad está muy lejos todavía. Es más, Gustavo se enoja porque abrió una dirección de correo y ya le escribió dos cartas y yo no, ¿qué le voy a decir? Que lo amo y que voy a actuar en consecuencia todos los días de mi vida. Incondicionalmente. Lo espero con todo mi cuerpo y con muchas expectativas. Para mí no es solamente ser madre, sino cerrar un capítulo muy doloroso.

—*¿De dónde tus ansias?*

—Hay mujeres que mueren por ser madres, de toda la vida; yo nunca tuve ese proyecto. Lo llamativo, según mi psicóloga, es que el deseo se haya vuelto imperioso hasta el extremo de intentarlo todo, recién cuando aparece la imposibilidad. Otra mujer se hubiera quedado feliz con su pareja sin hijos, o hubiera adoptado. Creo que en mí hubo mucho de narcisismo: "Voy a ir al mejor médico; van a ver que puedo". No tengo nada resuelto el tema de la impotencia; de hecho pude, no me vencieron. Se me disparó algo y ahora estoy en la carrera de la maternidad, es más, ya estoy pensando qué voy a hacer la próxima. Esto no, definitivamente, no podría volver a pasarlo. La búsqueda llegó a transformarse en algo hasta maníaco, siempre estaba haciendo algo. Me volví intratable, vivía desarreglada, no me importaba nada. Me abandoné completamente.

Hay una página de Internet que compara la infertilidad con el cáncer porque, de alguna manera, el final está signado, pero quizá, si seguís tal tratamiento, encontrás la cura. Acá no te condenan a muerte, pero te tiran al mar y si sos capaz de nadar, tal vez llegás. Sé que estamos hablando de tener un hijo o de perder la vida, quizá no sea comparable, pero a cada uno le duele lo propio.

Siempre le digo a Gustavo que nuestra pareja es de oro porque pudimos resistir tantas cosas. En los grupos de Internet se ve, a veces, que la *surrogate* queda embarazada y después tiene que soportar la guerra de la pareja porque los dos, ya separados y peleados a muerte, quieren quedarse con el bebé. Es complejo. Supongo que cuando sea mamá voy a confirmar que el esfuerzo valió la pena.

Cuando decidís seguir este camino tan penoso avanzás sabiendo que hay algo al final, pero nada más. No me movió el amor. O sí: el amor a mí.

Carina se despide hasta dos meses después, cuando me hará saber de su último viaje.

Cómo dar a luz

Por teléfono, Carina me cuenta. Vía mail había mencionado tremenda ansiedad.

—Estoy como levitando, ni duermo ni cago. Me voy de la cama a la otra pieza, prendo la luz, leo un libro, lo cierro y lo vuelvo a abrir. Estoy muy ansiosa. No paro de pensar en el laburo, en todo lo que me falta hacer antes de irme.

—¿Por qué adelantaste el viaje?

—Dorothy tiene fecha para el 15 de noviembre, pero quiere que vayamos ahora porque teme parir antes de tiempo. Ellos van a inducir el parto, nosotros no queríamos pero en *surrogacy* prefieren no arriesgarse, lo programan para tenerlo controlado. Me voy sin Gustavo porque no puede dejar de trabajar tanto tiempo; me acompaña mi vieja, es la única que puede. La verdad es que viene para comprarse ropa; seguramente, si me fuera a Salta a adoptar un chico no iría, pero bueno, no quiero estar allá sola. Si el parto de verdad se adelanta y Gustavo no está, ¿qué hago con el bebé? Me muero de angustia. La familia de Dorothy podría ayudarme, pero no es la idea.

—*¿Tu mayor preocupación?*

—Que tengo veinte días menos para prepararme. Ayer le decía a la psicóloga que me cure rápido, que está por nacer.

—*¿Fantasías?*

—Me da miedo no saber defenderme como otras madres, no saber defenderlo, no saber qué hacer. Seguro que cuando lo vea me olvido de todo, pero hoy no siento nada que tenga que ver con la alegría, la verdad que no. Las mujeres que paren a sus hijos sufren dolor físico, se emocionan: se llenaron y se vaciaron. Ojalá mi embarazo hubiera sido como los otros, pero no tuve opción. Lo que hubiera dado por estar en el lugar de Dorothy; lo que hubiera dado por haber sido como cualquier mamá.

Lo que me preocupa es cómo me voy a diferenciar de Gustavo, ¿qué me hace ser madre si yo tampoco lo parí?

Estados Unidos de Norteamérica. Texas. Shopping. Carina, Dorothy y su madre. Cuarenta y ocho horas para el parto.

—Cuando fuimos a elegir el cochecito con Dorothy, yo miraba su panza, tan chiquita... No era una preocupación porque el médico nos había dicho que estaba todo bien, sólo que no me gustaba. Con tanto *shopping* –mi madre que no paró desde que llegó hasta que se fue– la iba pasando más o menos bien. De todas maneras, faltaba que Thomas naciera. Moría de miedo.

—*Jueves, 3 de la tarde: Gustavo recién llegado, Carina, su madre y Dorothy. Sala de espera del consultorio del doctor Edwards.*

—Dorothy dice que le gustaría que el parto se adelantara para mañana porque John está internado, y que los chicos están ahora a cargo de su papá, pero no sabe cómo va a arreglarse si el parto es el domingo, como se había pactado. Mi vieja me hace señas por detrás de ella, parece una loca: "Decile que sí". Pero a mí se me paraliza el corazón. Miro a Gustavo, tan desolado como yo. Lo único que me calma es pensar que de ninguna manera el médico va a cambiar la fecha de parto. Entramos al consultorio. Dorothy expone su situación, el médico decide en el acto –y para mi sorpresa– que el parto se haga mañana. Me asusta lo inesperado. Encima yo quería hacer mil cosas pelotudas como cortarme el pelo, ir a la manicura. Pero se me va todo de las manos.

Salimos del consultorio, son las 3 de la tarde. Todavía nos faltan un par de trámites simples y burocráticos en relación al parto. Me pongo como loca a dar instrucciones, me frenan entre mi vieja y Gustavo. Llega la noche, nos sentamos en la habitación a mirarnos las caras, histéricos.

Viernes, 5 de la mañana. En la maternidad se instalan Gustavo, Carina y su madre en la habitación 303. En la 302, Dorothy.

—Por suerte todo ocurre a la madrugada, cuando las cosas tienen otra velocidad. Vamos a ver a Dorothy a cada rato. La acompañan su madre y su cuñada. Empiezan a inducirla, no le duele. Pasan las horas y nada. Dorothy nos sugiere que estemos alertas porque todos sus partos se desencadenaron en dos minutos. Yo voy y vengo, entro y salgo de su cuarto, del mío. Me tiro a dormir y pienso "¿qué estoy haciendo acá?". Mejor me siento con ella. Pero cuando estoy a su lado y veo a su mamá y a su cuñada pienso que es mejor irme. Voy a mi baño a lavarme los dientes, pero cuando estoy ahí no entiendo que hago en el baño en vez de estar a su lado, acompañándola. Estoy todo el tiempo así, sin saber dónde quedarme, desconociendo mi lugar.

Dorothy soñaba con abrazar al bebé. Carina lo sabía.

—Primero lo iba a alzar yo, después Gustavo, quien se lo entregaría a ella y por último a mamá. Así sería, y así fue. Me había pedido también que sus hijos pudieran conocerlo. Sobre todo su chiquita de seis años que estaba ilusiona con ver cómo sería el bebé. La verdad es que estaban todos muy involucrados.

Antes del parto se dio una situación muy graciosa. Resulta que un fin de semana, el padre y la hermana de John, que viven en otras ciudades, vinieron a conocernos. Almorzamos juntos. Mi mamá se puso a conversar con la hermana, separada y juntada con un tipo. Insolente, como siempre, quiso saber por qué no se casaba y tenía más hijos. Ella le contestó que su pareja quería, pero ella no. Entonces, el más chiquito de Dorothy dijo: "Si no querés tener más hijos, te embarazás y se lo das a Carina". ¿No estuvo genial?

A las once, Gustavo tiene hambre.

—Va a comprar el almuerzo porque "si el bebé nace al mediodía quién va a pensar en comida". Él se puede olvidar de cualquier cosa, menos de comer. Para variar, mi mamá le pide que le haga una compra en el local de al lado. Nos quedamos solas en el cuarto cuando entra la madre de Dorothy corriendo, advirtiéndonos que si queremos ver el parto, vayamos ya. Le contesto que ahora no porque Gustavo se fue. "¡Mamá, andá a buscarlo!", "¿A dónde?" Me dice. Ya en el cuarto de Dorothy vemos entrar al médico corriendo, a las carcajadas, Gustavo lo sigue con las bolsas de papel llenas de comida. Somos un montón en la sala de partos: yo colgada de Gustavo (que no larga las bolsas y transpira) mi vieja, la de Dorothy, la cuñada, el médico, la partera y no sé cuántos más. Debemos ser más de diez. Estamos de calle, no nos hacen vestir ningún traje especial, allá es así.

11 horas, 23 minutos, 7 segundos.

—Dorothy abre las piernas, entonces vemos un pedazo de cabecita, y sale toda ella. Parece tan fácil. Dorothy no grita ni llora ni nada. Yo tiemblo. Gustavo me sostiene para que no me caiga. Apenas la sacan, la limpian y la ponen encima de mi pecho. No entiendo, la situación me desborda completamente. Me traen una mamaderita descartable para que pruebe si se prende. Se la pongo cerca de la boquita y empieza a chupar. Me muero, es un *flash*, como una especie de verdad a golpes. Siento todo y nada, tratando de no marearme, de no caerme, estoy como colgada de una rama.

Estoy, también, corriendo un telón. El parto tiene algo de duelo.

Llueve en Buenos Aires

— *"Me gustaría estar en el parto como cualquier mamá", había dicho. Se lo recuerdo con Thomas de dos meses en brazos, en los sillones blancos.*

—Es que no sabía si me iba a enganchar con la maternidad; además tenía tanto dolor encima. Un dolor que no tenía que ver con mi hijo, sino conmigo. No es que él le haya puesto un moño a mi historia, son dos compartimentos estancos: uno es el mío, con mi imposibilidad y mi garra contra la imposibilidad; otro, es el de mi hijo. En terapia hablé sobre el no complicar a Thomas, que no tuviera que pagar ninguna cuenta ajena. Me impresiona darme cuenta hasta dónde fui capaz de llegar. Me impresiona bien y mal, ¿hacía falta tanta cosa? Porque también es una trampa: te metés en algo y dejás la vida de lado, ¿para qué? Había otros caminos. Mi pregunta es por qué estuve dispuesta a pagar cualquier precio por hacer lo que se me cantara el culo. Una cosa muy loca, muy narcisa, muy de escalar montañas, muy "yoica". El costo fue altísimo, me dejé llevar y no hice nada por mi crecimiento intelectual o personal, en estos aspectos me siento estancada y vacía. Pero bueno, también se es víctima de uno mismo.

A veces las elecciones se hacen desde un lado perverso, suicida, no desde la comodidad del sillón de tu casa.

Su psicóloga sabe de nuestras entrevistas. No entiende por qué Carina delega la narración de una vivencia absolutamente propia. Yo tampoco.

Es una decisión que tomé. Ya está, quiero sacarme esta mochila de encima. Y si llegara a haber una próxima vez, no la voy a vivir desde el complejo y la incertidumbre. Cuando se lo advertí a Gustavo, se asustó, no quería saber nada. Pero va a ser muy distinto, le aseguré. Además, ya está hecho, es un camino conocido.

¿Sostenés la idea de haberlo gestado más que cualquier otra mamá?

—Me parece que de otra manera no hubiera sido una gran mamá; que necesitaba prepararme mucho para ser madre. Me hacía falta tener el narcisismo dañado y enfermo y revisado; tenía que dejar de ser yo para ser más feliz. Pensé en esto antes de que naciera, quizá no lo dije abiertamente porque estaba todo el tiempo atajándome por lo que pudiera pasar, pero lo pensaba.

O a lo mejor tengo que dar un sentido a lo que pasé, porque si no, te matás. Pero no sé si tiene un sentido.

—*Que Thomas heredaría el pachorrismo de Dorothy, otra de las fantasías.*

—Todavía lo pienso. Nosotros también somos fiacas, muy de estar tirados en la cama, pero desde que nació, dejé el pachorrismo por la responsabilidad. Entonces, si tengo dos minutos, voy y lavo mamaderas, las hiervo por las dudas.

—*¿Qué le dirías a una mujer que quisiera intentarlo?*

—Si puede, que adopte.

Con la derecha alza la leche contenida que cae tibia.

—Thomas me mira todo el tiempo, a Gustavo no. Otro lo agarra en brazos y me busca sólo a mí. Más allá de eso, no siento que Gustavo y yo nos diferenciemos. Los dos nos ocupamos casi por igual;

él no quiere perderse nada. Mi hermano es así con sus hijos. En el grupo de *surrogacy* hay muchos hombres y, aunque la mayoría son homosexuales, hay otros que no lo son, y ellos se resisten a tener esposa porque elijen criar solos a sus hijos.

Me parece que los hitos de la maternidad y la paternidad están siendo cuestionados. Gustavo leyó sobre el tema, sabe que el lugar del hombre es el de sostener a la mujer para que ella pueda brindarse de lleno a su hijo, pero nosotros funcionamos de otra manera. Gustavo es la autoridad desde el lugar del conocimiento; en nuestra pareja, él es el inteligente, el que trae la palabra acertada, no pasa por lo masculino. Yo soy más la histérica del siglo XXI: la mujer liberada e independiente. La que avanza. Solamente ahí se juegan los roles. Además, soy muy de mandar, pero él se lo banca. Tampoco hay alguien más proveedor que el otro. Evidentemente nosotros no cumplimos con los estereotipos que se esperan de una pareja, pero estamos bien así y a partir de eso somos los padres que somos.

—*¿Conociste a la hija de Sandra?*

—No, para mí era una panza.

Y nunca llamó a Dorothy a los cuatro días para tantear tristezas. Su foto fue eliminada de la mesita de luz; relegada a un último cajón.

—Cuando Thomas se constipó después de la primera semana, Gustavo propuso que buscáramos a una mujer que lo amamantara. Nunca supo lo mal que me puso su idea, sentí que había fallado. Y cuanto más lo decía, peor me sentía; tenía ganas de mandarlo a la concha de su hermana. Después traje datos concretos de nenes que toman teta y están tan constipados como Thomas, chicos con nombre y apellido.

Una tarde, Gustavo sugirió que probara de ponérmelo en el pecho para ver si chupaba, me sentí peor todavía. El hijo de puta me viene a decir esto cuando yo había tenido la misma fantasía, aunque nunca me animé a intentarlo. No sé, me parece que no tengo que joderlo con mis problemas.

—Pregunto por su furia; después de tanto.

—Me enoja que haya sido tan difícil. Porque la felicidad que siento hoy era desconocida para mí y me gustaría volver a vivirla otras cinco veces; únicas e irrepetibles, y no voy a poder. Desde que nació Thomas me desconozco. Hay momentos que siento que vivo para él, totalmente. Es la primera vez que me pasa, y eso que estuve enamorada y de amores no correspondidos que son los más tremendos. Hombres por los que me suicidaba, pero nunca esto. Me he llegado a olvidar de mí y no me asusta. Creo que tiene que ver con la entrega total.

Ayer le llevé al pediatra una lista armada durante semanas. "¿Cómo hago para postergar las mamaderas de la noche?", le preguntaba como si estuviera averiguando algo trascendental. Yo misma me escuchaba y pensaba: "¿de dónde y para dónde?". Una persona que, de alguna manera, emula a sus padres que viven veinticuatro horas para sí mismos... yo no tuve la oportunidad de experimentar otra cosa. Siempre le refriego a mi madre su mal ejemplo, medio al pedo, pero se lo refriego.

—¿Y tu mayor miedo?

—Un amigo de la familia me había anticipado que la relación con mis viejos cambiaría porque iba a enternecerme el amor de ellos hacia mi hijo; esto pasó. Cuando tengo trabajo lo llevo a casa de mamá. Se desvive por Thomas. Contrató a una señora especialmente para que lo cuide, con ella al lado, claro. La señora lo baña, así que mamá decidió que necesitaba un bañador. Se comunicó conmigo por teléfono para pedirme permiso; quería comprarle uno. A los 40 minutos, papá dejó la oficina, la pasó a buscar y resolvieron el tema. Así de simple. Así de entusiasmados están.

Ellos trataron de acercarse a mí antes de que naciera Thomas. Yo los pateaba. De hecho, ellos pagaron la estadía en el hotel caro y la camioneta que alquilamos en Texas. Ahora que nació están enloquecidos. Claro, un bebé no escatima afecto. Es un ser puro.

—*¿Por qué "Thomas"?*

—Podría haber elegido un nombre argentino, pero preferí llevar esta historia con distinción, sin ocultamientos. Además, tengo la fantasía de que, cuando crezca, vuelva a su país de origen. De hecho, si tiene alguna actividad relacionada con el primer mundo, va ser lógico que quiera ir para allá, ¿por qué no? De ahí viene.

Un año después, el dolor en Carina dejará lugar al deseo de un segundo hijo que hará nido en otro vientre, en otro invierno, en otro lugar.

Luciana

"Mis padres no nos tuvieron por amor. Yo sabía que había algo diferente, y pude crearlo".

Luciana ya ha sido entrevistada por otros, me lo hace saber sin dar lugar a un porqué. En apariencia, sobran razones; en la oscuridad, cobran sentido. Irá su historia despojándose de cada renglón para pasar al otro y volverse grito; pero para eso falta. ¿Quién es Luciana?

Luciana se crió escuchándole decir a su madre que los hombres abusarían de ella. Recuerda no saber/entender cómo asociar lo mejor de la vida –un hijo– a una agresión. Por eso, cuando conoció al bueno de Mario, no lo dejó escapar. Después de años de noviazgo decidieron separarse. Tras una de las reconciliaciones, para volver a decirse adiós, aparece Lourdes. De prepo.

—*¿Tener un hijo es lo mejor de la vida?*

—Siempre pensé que, si no iba a ser madre, sería mujer al "cuete". Porque si no tenés un hijo, la vida se termina ahí. Yo tengo amigas de treinta y cinco o cuarenta que no quieren tener hijos; son profesionales y se matan trabajando. ¿Para qué todo eso si no lo pueden transmitir? Es como que no se dan tiempo de querer a alguien, se encierran, escapan al ser mujer.

Para mí era muy importante ser madre, si no, ¿dónde se vuelca el amor?

En aquellos tiempos, esta mujer nacida en el monte chaqueño, vivía en un instituto que alberga a chicas que vienen de la provincia sin recursos, sin nada. Les dan techo y comida, lo demás corre por su cuenta. Sola y embarazada disponía, únicamente, del sueldo de su trabajo en un vivero de la calle Santa Fe. Pero estaba feliz y se sentía acompañada. No sabe por quién, pero así era.

El embarazo transcurrió con felicidad, más que con normalidad. Habían pasado sólo cinco meses y Luciana no podía esperar a conocer a su hija. Treinta años habían sido suficiente espera. Mario la acompañaba a los controles médicos, estaba para ese bebé. Cuando la pareja no se había disuelto del todo, cuando todavía existía alguna posibilidad de reencuentro, fueron juntos a visitar a su familia a la provincia del Chaco. Anunciaron un embarazo que no sorprendió a nadie. Griselda, la madre, jamás opinó sobre sus cosas, confiaba; su padre, Ramón, estuvo siempre enfermo y ausente.

Pero no fue fácil. En el instituto sólo le tocaba obedecer reglas; en cambio, al quedar embarazada, no tuvo otra que independizarse. Compadecida por sus compañeras que aseguraban que preferían pegarse un tiro antes de condenarse a tan terrible situación, ella hacía oídos sordos: flotaba por encima de todos los miedos, no sentía más que su panza. Así salió en busca de un departamento. Con su sueldo pagaría la hipoteca. No le alcanzaba para comprar en la capital, rumbeó para la provincia de Buenos Aires; algo encontraría. A veces iba sola, o con una amiga. Se arriesgaba al entrar a los edificios sin otra referencia que un cartel de "se vende" en la entrada. Ahora lo sabe, entonces estaba demasiado urgida como para perder tiempo imaginando peligros. Una vez adentro recorría los ambientes, los caminaba buscando que no estuviera roto el piso; que no olieran a humedad. La gente que la recibía era otro dato a tomar en cuenta: de acuerdo a la manera de expresarse, la impresionaban para bien o para mal. Todo era parte del rompecabezas. Buscó durante meses: sábados, domingos y feriados, pero nada la entusiasmó hasta que unos amigos le sugirieron un barrio de monoblocks *en Monte Grande. Le gustó, hasta tenía conocidos cerca. Obtuvo la hipoteca y se mudó, ahí recibiría a su hija. Tenía dos horas y media de viaje hasta su trabajo; no importaba, lo valía el techo propio.*

Cuando dejó el instituto, un mes antes de parir, tuvo miedo; hizo lo posible por no escucharlo.

Faltaban sólo unos días para el nacimiento de Lourdes –siempre supo su nombre también– cuando se instaló en la casa de Mariela, una compañera del trabajo. Ella controlaba las contracciones con el cronómetro. No dudó en llevarla al hospital cuando comenzaron los primeros dolores fuertes. Llegaron tan pronto como lo permitió el Peugeot 504 destartalado de su amiga. Cuando el médico le preguntó si era su primera vez, obtuvo un "sí" evidente y angustiado como respuesta; entonces la dejó esperando "porque las primerizas vienen dos o tres veces antes de parir", vociferó el médico de espaldas, y se fue. Una hora más tarde se acercó a Luciana quien, pasada de dolor, pujaba sin permiso de nadie, un hombre de delantal celeste que la llevó hasta la sala de partos. Avanzaba en el aire sostenida por sus brazos, ya sin habla. Aterrada. Nadie le anticipó que, pocos segundos después, la cargarían de costado hacia una camilla cubierta por una manta, y que el anestesista le inyectaría la peridural durante segundos que parecieron siglos –la anestesia olía a menta–. Poco después, Luciana sintió cómo ataban sus pies a metales muy fríos, entonces se desesperó. "No muerdas ni patees ni pegues, como todas las parturientas, por favor. Controlate", escuchó a modo de reto. Se desesperó más. En la sala había sólo tres personas: la partera, el anestesista y un médico. Conversaban todo el tiempo, de nada. Luciana sólo escuchaba los instrumentos que sonaban tan fríos como el metal sobre el que amarraban sus pies. A partir de entonces, los pujos se sucedieron vertiginosamente; la partera sobre su panza, acomo-

dando la fuerza donde debía estar, y al bebé, para que por fin viera la luz. Fue todo tan rápido que cuando Mario llegó Lourdes había nacido. Aun hoy lamenta esta ausencia.

—Cuando parí no pedí por el bebé, abracé a la partera, muy emocionada y agotada. No podía hablar, me dolía mucho. Cuando la escuché decir que no la mordiera me puse mal, ¿cómo iba a lastimarla si fue quien me ayudó a que naciera mi hija? Después se puso a llorar. Me parece que se emocionó con mi parto. Será que le transmití mi agradecimiento, y mi sorpresa por su miedo. Las dos cosas.

Lo primero que escuché de Lourdes fue su llanto y también lloré; porque fuera de mí no podría protegerla. Sentí cuando la pusieron mojadita sobre mi pecho. El dolor del parto había sido terrible pero, al tenerla conmigo, olvidé mi cuerpo y la abracé fuerte. Tocaba su carita, tenía los cachetes gordos y las patas flacas. Me dijeron que era igual a mí.

De vuelta al cuarto con su amiga y el padre recién llegado, Luciana recibió a la hija que se prendió al pecho con naturalidad y destreza. Se impresionó por su instinto de succión; ser el alimento le resultaba escalofriante. En principio, ningún placer. Hasta que lo entendió y la nutrió por dos años.

Fueron las tres desde el hospital a la casa de Mariela. Luciana aprendió a bañarla; con lo demás se arreglaba bastante bien. La enorgullece no haberle puesto un pañal al revés nunca. Una semana después, en su hogar, casi no tuvo miedo.

El médico había recomendado que durmiera a la recién nacida en el moisés. Luciana obedeció: la acomodó en la cama de dos plazas. Lo primero en desaparecer fue el moisés. Pasó el tiempo y Lourdes seguía durmiendo junto a su madre.

Tres meses después de nacida y terminada su licencia por maternidad, la rutina era la siguiente: se levantaban a las 5 de la mañana, a las 6 dejaban el barrio, todavía a oscuras. Luciana cargaba a la beba sobre el cuerpo; la mochila aseguraba que no la arrebataran.

Tomaba el colectivo hasta Constitución. Después, otro hasta el vivero. Cuando las personas se acercaban ofreciendo ayuda, ella entregaba el bolso y se tomaba del brazo. Podrían robarle lo que fuera, a su hija jamás. Luciana dejaba a Lourdes en la guardería, a dos cuadras del trabajo. A las 9 fichaba su entrada. Cada tres horas se acercaba para amamantarla. Y a las 5 pasaba a buscarla.

El padre la retiraba día por medio de la guardería y la paseaba un rato. No demoró en llevarla a su casa para que conociera a Susy, quien entonces era su novia. Un año después, la pequeña se quedó a dormir con su padre y con esta mujer devenida en esposa. Lourdes creció sabiendo que quien acompañara a su padre debería incorporarla y quererla; que él jamás aceptaría otra cosa.

En el departamento de Monte Grande, Luciana tomaba precauciones: el piso bien barrido para que la beba no se metiera nada en la boca, pocos muebles y menos invitados, ya que podrían dejar caer objetos pequeños. Así la protegía. Y a solas, cantaban. La voz de la pequeña delataba su ubicación, y sus intenciones. Cuando se quedaba en silencio, la madre desconfiaba. Más de una vez ocurrió que, estando con Estela, la mayor de sus ocho hermanos, escuchaba que no tenía por qué inquietarse ya que Lourdes –con tres años ya– estaba sentadita y tranquila. Igual, tanto silencio inquietaba a la madre; se acercaba, le metía el dedo en la boca, y efectivamente, encontraba una moneda o un botón o algo peligroso. Ella era capaz de intuirla. Un día, Lourdes se tiró desde el cochecito, como caída del cielo. Aun hoy Luciana no sabe cómo y por qué pudo atajarla.

La chiquita fue creciendo y los cuidados se fueron acomodando a las posibilidades de ambas. Cuando paseaban no soltaba su mano. Sin embargo, Luciana iba más tranquila junto a Estela. Si Lourdes quería correr, se adelantaba dos o tres metros, y se daba vuelta para mirarlas.

El mimo que todavía la hija le pide a la madre que recuerde en voz alta: cuando hacía frío la arropaba con su abrigo, embolsándola como una mamá canguro. Como volver a la panza.

—*¿Cuándo descubrió que no podías ver?*

—A los tres años. Ella estaba convencida de que me había golpeado, quería llevarme al médico: "Te van a dar unas gotas para que te cures", decía. En realidad, ella percibe que no veo desde el año o antes inclusive. Porque cuando me insistía para que me sentara en una silla y no le hacía caso, la golpeaba y decía "acá". Es común que los hijos de los no videntes hagan eso, dicen "tomá", y te ponen algo en la mano.

Lo que me da pena, aunque parezca una pavada, es que cuando era chiquita recibía lo que yo podía darle, y no lo que ella hubiera querido. Su ropa, por ejemplo. Ahora, cuando ve las fotos, no puede creer que la haya vestido así. Claro, yo iba a la Feria de Constitución y compraba confiando en los comerciantes. Me dejaban tocar las telas y me decían su color, pero más de una vez me vendieron cualquier cosa. Por suerte, desde los tres años se viste como quiere.

Cuando visitaba a su padre, más seguido a medida que fueron pasando los años, hacía vida de familia: comida casera en casa de los abuelos, travesuras con los primos, conversaciones hasta tarde con su tío preferido. Familia numerosa; en sombras también.

Con su mamá, en cambio, paseaban por el parque, jugaban con el teatro de títeres, cocinaban juntas. Cada dos años veraneaban en el Chaco, en casa de la abuela Griselda. Era divertido, y a pesar de que compartieron poco, fue suficiente para hacerla parte de los recuerdos, de los buenos recuerdos.

Lourdes ingresó en la escuela primaria, la estatal N° 13. Luciana, que había cursado la primaria de adulta en una escuela de enseñanza especial, solo leía braile. *No podría ayudarla, lo sabía, y menos a medida que avanzara en sus estudios. Sin embargo, no cree que esto la haya perjudicado, hablaba con las maestras y, si era necesario, las contrataba de manera particular. Se ocupaban, ella y Mario, cuando sus ojos no eran capaces de resolver un problema, contaban con los ajenos. La responsabilidad de la alumna consistía en apren-*

der lo que le enseñaran. El resultado fue bueno, nunca se llevó una materia. Luciana se enorgullece por la tarea cumplida. Distinta fue la experiencia de la escuela secundaria, madre e hija la iniciaron al mismo tiempo. Entonces sí supo ayudarla.

Lourdes tuvo una compañerita de primaria llamada Carla, que asistió a la misma escuela hasta que empezó a sufrir problemas visuales. Al poco tiempo, prefirió una institución de enseñanza especial; los compañeros la discriminaban. Lourdes comprendía perfectamente el sufrimiento de Carla, la mortificaba el prejuicio: "Si sigue siendo la misma; no puede ver pero sigue siendo la misma", repetía a su madre queriendo descifrar el absurdo. Un absurdo padecido/conocido.

—Siempre me pregunté cómo iba a enfrentar que sus dos padres fueran ciegos. Es más, estaba segura de que a ella le daba vergüenza que la llevara al colegio porque sus amigos me verían con el bastón blanco. Después me di cuenta de que a ningún adolescente le gusta que lo vean con la mamá. Pero no fue fácil, cuando era chiquita, tuvo que soportar las crueldades de sus compañeros que le decían: "Ttus papás son ciegos"... "Sí", contestaba, "pero mi papá viene a verme y el tuyo no".

Se realizaba como madre: otra mujer.

—Con ella aprendí a ser comprensiva, a saber escuchar y entender. Hay gente que cierra sus oídos y lo único que le importa es lo que piensa y, por ahí, el chico necesita otra cosa. A veces es duro lo que hay que escuchar, pero tenés que hacerlo. Lo que siempre me costó (todavía es así) es el pasar de una etapa a la otra. O sea, cuando la dejé en la guardería, después en primer grado, y ahora en la secundaria. Porque hay que proceder de manera distinta: "Ahora la llevo de la mano, ahora la suelto, después ¿qué viene?". Cuando iba a la primaria, hablaba con los maestros. Intenté hacer lo mismo con los profesores de la secundaria y me encontré con gente más fría, distante.

Nadie te enseña a ser mamá. A veces un hijo pide cosas que uno ni se imagina que puede dar.

Luciana fue capaz de soltar su mano, de confiar. La hija, durante estos catorce años de vida, fue marcándole nuevas pautas a las que tuvo que adaptarse. Hoy, Lourdes es libre de ir a bailar, de salir con amigas. Claro que Luciana la alcanza en el auto de otra mamá hasta el punto de encuentro, y otra madre la va a buscar y la trae de vuelta. Otra condición impuesta por su madre es que siempre lleve el celular. Aunque la mayoría de las veces que intenta ubicarla lo tiene apagado. La madre se resigna, acepta tanto el vivir pendiente como la incertidumbre, y recibe con alegría los momentos compartidos.

Cada domingo, van de shopping. *Ella se siente más segura que en la calle, y la hija puede comer algo rico en el Mc Donals y recorrer las tiendas. Las dos contentas. Lourdes elije la ropa de ambas. Luciana la combina; por el modelo supone el color, y por la textura. Toca a su hija para saber qué lleva puesto. La alivia que no use polleras cortas. Lo sabe porque Lourdes elige las que "no son tan cortitas, mamá". A veces le sugiere que compre un* jean *uno o dos talles mas grandes, que no ciña su cuerpo. Le explica que viven en un barrio complicado, donde hay hombres que miran feo; mejor no llamar la atención.*

El barrio complicado es Constitución. Luciana terminó con la hipoteca, vendió el departamento de provincia y hace diez años pudo comprarse otro, fascinada con establecerse –por fin– en la Capital Federal. Cuentan con tres ambientes: un cuarto chiquito para la adolescente, otro algo más grande para la mamá y un espacio para el living que se parece bastante a un pasillo. Sin contrastes; no hay manera de que escapen al gris y al marrón claro. El pasillo tipo living alberga un sillón, una mesa ratona con un teléfono y la tele, nada más. Otro teléfono ocupa la mesita de luz de Luciana, y a estos dos –uno inalámbrico– se suman los celulares: la comunicación en esta familia es fundamental. Los amigos llaman por la tarde, cuando saben que Luciana volvió de trabajar. Y el domingo, otra de las hermanas de Luciana, que se vino del Chaco y cría sola a siete hijos en Florencio Varela.

Luciana se informa dos veces al día a través de una radio que ocupa su mesa de luz. Cuando se levanta temprano para conocer la temperatura, es importante para encarar el día; cuando llega por las tardes la enciende otra vez; el ocaso la estimula a enterarse de lo que pasó. También se mantiene actualizada a través de un programa de la computadora que le permite escuchar resúmenes para ciegos leídos en voz alta, editados en revistas especializadas.

—*¿Le transmitiste a Lourdes alguna de tus costumbres?*

—Para ella *ver* también es *tocar*. A veces me pregunta: "¿Me dejas ver?". Y toca una ropa, un pañuelo. Cuando se me cae algo, yo lo busco con el bastón; bueno, ella hace lo mismo. Es gracioso.

—*Es inevitable que sea, un poco, tus ojos.*

—Es inevitable, aunque ella está convencida de que veo. Cuando me dice que puedo ver, me está diciendo que "puedo". Para ella soy más fuerte, me pide más a mí que al padre. Será porque me arreglo sola y creerá que él no puede solo y por eso vive con una mujer. Por otro lado, en mi familia no hay personas ciegas, y yo tengo amigos que ven y otros que no ven. En cambio, en la familia del padre son casi todos ciegos congénitos. Con ellos, Lourdes responde por partida doble, triple; dependiendo de cuanta familia y amigos haya en la casa: "¿qué película están dando?", "¿de qué color es este par de medias?", "¿qué billetes son?".

Consciente de esta demanda, cuando están juntas, Luciana pregunta lo menos posible. Y se hace cargo de lo que llama "su paranoia". Parece ser que los que no ven se preocupan de que no queden dudas de que tuvieron a sus hijos por amor, y no para usarlos de soporte, de bastón blanco. Además, tiene muy/demasiado presente que allá en el campo coleccionan hijos para que trabajen. Esto de criarlos para que ayuden está mal, no lo duda, es preferible la cooperación: si una lava, otra cocina. Esto sí aprendió Lourdes, que muchas veces, cuando llega de la escuela, se pone a ordenar y le pide ayuda a ella que está tan cansada que prefiere tomarse unos matecitos antes. Aunque accede, corresponde.

Una vez, ya hace tiempo, iban caminando y Luciana le pidió a un señor que, por favor, la acompañara a cruzar la esquina; "¿por qué no la ayuda la nena?", le contestó. Pero ella tenía muy claro que no quería cargar a Lourdes con tamaña responsabilidad. Sólo tenía seis años. No estaba para cuidarla, sino al revés.

—¿Aún duermen juntas?

—Sí, se supone que no es bueno, pero no estoy tan segura. Ella dice que sabe que es malo, pero que no le hace mal. Si yo estuviera en pareja le prohibiría que duerma en mi cama, porque estaría con un hombre. Pero, por ahora, no hay nada de eso. Lourdes no deja que se me acerque nadie, los hombres menos que menos. Me cela muchísimo, es muy afectiva y me cuida.

Por momentos me agarra la ansiedad de estar en familia, pero la verdad es que lo veo muy difícil. He conocido personas que no me han dado la confianza como para que me entregue. Se supone que estoy cambiando, que me estoy abriendo, pero no sé si estoy cambiando tanto.

—¿Cómo te trata?

—¿Ella? Lo más bien, es muy buena conmigo. Pero ahora está pasando por la etapa en que contesta feo. Esta semana, justamente, me dijo: "No me jodás", o algo parecido, no me acuerdo exactamente. La amenacé; si volvía a contestarme mal, se iba a su cuarto. Aflojó. Ahora sé qué castigo sirve. No quiere dormir sola y yo tampoco hago demasiado esfuerzo. Me gusta que durmamos juntas, quizá me cuesta aceptar que está creciendo.

La imaginación la traslada a un más allá conocido; la vuelve atrás.

—Hace poco me cuenta su proyecto de tener un hijo, todo bien, hasta que en un momento larga, como dándolo por hecho: "Vos lo vas a cuidar". "¡No!" La paré ahí nomás, "porque a tu abuela no la hice cargo de vos. Yo conté con lo que podía. Es muy fácil tener hijos y encajárselos a otros". "¿Sí?". Y siguió con su idea, como si nada: "Lo único que sé es que cuando me case te voy a alquilar un departamento al lado del mío, así vivimos juntas".

Lo profundo de esta herida

Luciana fue contándole de a poco; en realidad, a medida que su hija fue queriendo saber, de qué manera perdió la vista. Lourdes acostumbraba detener el relato para pensar en voz alta, cómo y dónde podría encontrar un remedio, alguna cura; mortificada y doliente. En principio, Luciana blanqueó que se había lastimado. Más adelante, cuando la niña cumplió siete años, pudo nombrar el accidente, el cuchillo, el descuido. Llegó un momento en que su hija fue capaz de escuchar toda la historia.

Luciana vivía en el Chaco, en medio del campo, con sus padres y sus siete hermanos. Paupérrima la familia. Tenía seis años cuando le encomendaron un trabajo, junto a Estela, su hermana mayor y tres amigas más. Debían presentarse en la casa donde su madre trabajaba como empleada doméstica y cortar ramas secas. Juana, hija de la patrona, también cortaba ramas, porque era divertido, era como un juego. Tomó esta niña el cuchillo más grande y para tener envión y cortar con más fuerza, lo llevó hacia atrás en el preciso momento en que Luciana pasaba. Recuerda Luciana que aquel día se quedó dormida de tanto llorar; de tanto cansancio. Cuando despertó, se limpiaba los ojos para quitarse la sombra que la desesperaba, pero nada. Se valieron de remedios caseros a falta de medios de transporte que la alcanzaran hasta la capital o algún pueblo vecino. Los padres y sus ocho hijos vivían en medio de un campo desprovisto, y ahí se quedaron.

Luciana creció pensando que volvería a ver; todos en su familia estaban convencidos, era cuestión de tiempo. Éstas eran las expectativas. Durante algunos años pudo ver de un solo ojo, y seguía yendo a la escuela a desgano. Cada mañana era un "no contra el sí" de la madre hasta que, por cansancio, Luciana consiguió quedarse en casa jugando mientras sus hermanos estudiaban. A su vuelta, investigaba qué habían hecho en clases y copiaba la tarea en el pizarrón con las tizas que le traían de la escuela N° 7. Así, solita, aprendió a leer y a escribir. Luciana siempre hizo lo que quiso, fiel reflejo de su madre. Doña Griselda era dominante con todos menos con ella. Hasta los cinco años la llevaba en brazos para que no se lastimara, era su manera de consentirla y protegerla de los peligros del campo abierto. Después del episodio desgraciado, la consintió todavía más.

Por las noches, en la casa de adobe de tres ambientes: uno para la cocina a leña, otro para el cuarto de los padres y otro para los ocho hijos, el padre se mantenía firme en su cama matrimonial, a veces súper poblada, a veces vacía. La prole iba con su madre de cuarto en cuarto.

—¿Qué fue de vos?

—Sufro, soy insegura. Vuelvo a casa temprano, no voy a lugares oscuros o peligrosos. Me encierro. Lo mismo hago con mi hija, prevengo situaciones de riesgo, tomo lo que me pasó a mí como referencia. Si mi madre hubiera tenido la precaución de no darme un cuchillo a los seis años, no estaría ciega.

Mi hija me dice que no hay que tener tanto miedo, me ayuda a que me suelte. Le hago un poco de caso. Pero, la verdad, ser así me protege.

Tenía solo ocho años cuando la enviaron a Bolivia. Su madre depositaba plata en una cuenta cuyo dinero costearía una operación recomendada por una vecina. La llevó a La Paz y –efectivamente– la depositó en un hospital. La abandonó por cuatro meses. Las monjas del establecimiento no sabían qué hacer con ella, estuvieron a punto de darla en adopción cuando, un día cualquiera, reapareció esta mujer –Luciana nunca supo su nombre– la vistió con la ropa que había estado arrinconada en un estante, y la llevó de vuelta a su provincia. La madre fue a recibirla ilusionada.

—¿Podés ver?, preguntó Doña Griselda desde lejos, antes de abrazarla.

—¿Qué tengo que ver?

—La operación no sirvió, se lamentó la madre.

—¿Qué operación, mamá?

A Buenos Aires había venido en tres ocasiones. La primera vez tenía once años y estuvo internada en el Hospital de Clínicas. Viajó sola, a través del ministerio de la Casa del Chaco. La operaron, ella todavía tenía resto visual importante, pero nada. Se trasladó por segunda vez a los dieciséis años; otra vez sola. Entonces la internaron en el Hospital Rivadavia durante un año. Llegó a conocer a todos: pacientes, enfermeras, doctores. Pasaban a saludarla, le traían ropa y regalos. Por las noches, se quedaba contemplando la ciudad por la ventana. Todavía era capaz de percibir las luces, distinguía a los taxis de los colectivos y de los semáforos. En cambio, durante el día, todo era una nebulosa, ningún matiz. Luciana la pasaba bien, se había creado un lugarcito propio, sin embargo, tuvo que partir, ya que la administración del hospital necesitaba la que –según ella– era su cama.

Hoy, Luciana lamenta haber crecido ilusionada por una recuperación. Hubiera preferido que su madre agotara todas las instancias médicas, pero que, si nada funcionaba, la obligara a estudiar. "Hubiera sido otra mi vida, distinta, más fácil", protesta.

La tercera vez que viajó, Buenos Aires sirvió para quedarse. Habiendo desistido de la batalla por recuperar la vista, esta vez la intención fue capacitarse para desenvolverse en un mundo creado para los que ven. En el Chaco no había educación posible, ni bastones blancos ni enseñanza en braile *ni ninguna herramienta que la habilitara a manejarse en el mundo, más allá del campo donde nació y que tan bien conocía. El Instituto para Chicas Carenciadas, de provincia, que finalmente la albergaría por tantos años, facilitó su traslado. Otra institución le posibilitó el estudio en una escuela primaria.*

Antes de conocer a Mario se había enamorado de un hombre de su pueblo. Sabe que Nicolás –así se llama– formó una linda familia. Luciana supuso que no sería así de bueno con ella, se abusaría para después irse, como sentenciaba su madre incluso antes del accidente. Después del cuchillo, ya no tenía opción; los hombres solo se acercarían para abusarse. Había otra posibilidad, un hombre como su padre, enfermo, que ayudaba poco y nada. Peor.

—¿Crees que Lourdes heredó tu miedo?

—De mi temor a los hombres no heredó nada. La resguardé, para no influenciarla.

—¿Imaginás que pueda enamorarse?

—Seguro que sí. Y por la vida que lleva, es posible que se enamore de un hombre sin problemas visuales. Sería bueno, así su hijo tiene menos posibilidades de heredarlos. Aunque hay riesgo por parte de mi hija: el padre y los abuelos son ciegos congénitos.

—¿Es tanto más difícil?

—¿La vida? Es diferente. Tenés limitaciones que viendo no tendrías. Por más que te digan que es igual, por algo existen los cinco sentidos, si te falta uno, te falta. Podés aproximarte, hacer lo posible para estar bien, pero nunca es lo mismo.

Si Lourdes decidiera abortar o simplemente negarse a tener hijos ante la posibilidad de que hereden la ceguera de su padre, Luciana haría algo, sin dudas, trataría de impedirlo. No sólo porque se sentiría discriminada, sino porque cree en Dios. Siempre confió en que iba a estar todo bien, y al final del embarazo, cuando dudaba sobre la sanidad de su hija, tuvo fe. Creía en la Virgen, por eso la llamó Lourdes.

Luciana empezó a trabajar en uno de los viveros más importantes de Buenos Aires hace dieciocho años, como telefonista. Al poco tiempo le ofrecieran el puesto de vendedora. Estudió el nombre de cada planta: texturas, aromas, orígenes y colores. Aprendió a manejarse, sostenida por su bastón blanco, a través del vivero que ocupa media manzana; a reconocer cada referencia para poder guiar con comodidad a sus clientes. Enseguida comenzaron a pedir por ella. Los medios periodísticos publicaron el hallazgo. Lourdes, orgullosa.

En la actualidad, Luciana ocupa una oficina de ventas con una computadora parlante que utiliza a la perfección, y un teléfono que la comunica con el mundo. Cuando no está ocupada con tareas administrativas, se dedica a atender al público. El año próximo, al terminar el secundario, estudiará paisajismo. Toda una inspiración.

—El trabajo es mi orgullo porque fue mi propia creación, salió de mi cabeza. Cuando me ofrecieron vender, pensé que era imposible, pero me las rebusqué para adaptarme a ese medio –porque no es un lugar pensado y creado para gente que no ve– y así poder guiar a otras personas. Además, ya sé que varios no videntes, después de conocerme, se animaron a estudiar biología, por ejemplo. Por lógica, no podrían estudiarla, pero ellos se animan a intentarlo, van más allá de las prohibiciones impuestas por los demás. Yo tuve la suerte de ir conociendo, solita, mis límites; no me los marcaron los de afuera. Siempre tuve ese privilegio. Yo bajo la cabeza, digo que sí, y después hago lo que quiero.

La caída

—¿Cuándo pensaste quitarte la vida?

—Fue muy duro darme cuenta de que mi mamá tenía razón. Mario no quería tener hijos por miedo a que heredaran su ceguera y sabía que, de mi parte, no iba a tener ese riesgo. Lourdes es su única hija, o sea que, en realidad, se terminó cumpliendo lo que decía mamá. Como mujer me aceptaba, pero no como su compañera en las buenas y en las malas, porque se podría haber quedado conmigo cuando me embaracé. Terminó siendo como todos.

Luciana y Mario se conocieron en una escuela de rehabilitación para ciegos.

—¿Te gustó su voz?

—Más que nada, lo que dice, su conversación. Él es muy caballero, como es de Buenos Aires tiene otra educación. En la clase me daba charla, me contaba que le gustaba León Gieco, el rock; yo le decía que prefería el folclore.

Teníamos el recreo para ir a desayunar o almorzar. Entonces, cuando alguien te caía bien, le preguntabas: "¿Querés ir a almorzar?". Armabas el grupete. Yo no lo miraba con otros ojos... bah, no lo miraba, nada, es una manera de decir, me parecía un compañero más, y medio cancherito. Tomaba rápido el desayuno, me iba y lo dejaba con otros compañeros.

—¿Por qué Mario?

—Que tuviéramos la misma edad me pareció importante, y el tipo físico parecido. Lo sabía porque otra gente que veía o que tenía restos visuales, me avisó. Así se corre la bola entre nosotros, te avisan. Además, había bastante contacto directo, porque, cuando íbamos en grupo, nos tomábamos del brazo. Es fácil darte cuenta cuando alguien te toca con buenas intenciones; cuando te toma del brazo e, internamente, está firme. La gente que no ve puede caminar arrastrando los pies o no manejar bien el bastón, son cosas que importan. Mario tenía la costumbre de tomarme del hombro; entonces, sin querer, supe cómo era. Y sabía que se vestía bien y que olía rico, porque tenía olor a limpio, como quien dice. A mí me gustan los buenos perfumes. En realidad, me conformo con que un tipo se bañe, que tenga olor a shampoo. Así me fui armando un panorama general. Al año siguiente, volvimos a encontrarnos en el curso de música, y en reuniones que organizaban los compañeros. Nos fuimos apegando. Un día, una señora nos invitó a su casa; iba a hacer pizza. Podíamos llevar un invitado, lo elegí a él. Me parece que ya andábamos medio abrazados. Nos sentamos uno al lado del otro.

Ocho años de novios, hasta la desilusión.

—Cuando terminamos, me deprimí mucho. Alguien me sugirió un centro de salud mental que funcionaba en Palermo. Confié. Fui un par de veces y después seguí con la psicóloga a la que me derivaron. Me acuerdo que al principio no quería hablar. No porque no quisiera, sino porque no sabía qué decir. No entendía qué me pasaba y me ponía a llorar. A partir del embarazo empecé a estar mejor, pero no fue un cambio radical, de a poco empecé a tener momentos de alegría, de estar bien, "de luz" como digo yo. La gente me decía: "No sé cómo vas a sobrevivir con la panza". Yo sabía que iba a ser difícil, pero tenía una vida dentro de mí.

Hace quince años que Luciana mantiene la cita con la terapeuta. Una vez a la semana.

—Mi psicóloga me ayuda a entender dónde se originó el problema; sin embargo, no puedo cambiar, sigo con miedo a los hombres. Tengo cuarenta y cinco años; encontrarme con una persona y pensar que va a ser mi compañero de la vida, difícil. Como que siento que tengo demasiado para brindar, pero los hombres no. Tampoco José.

Lo conoció a sus veinte. Luciana vivía aún en el instituto, él era el hijo de la secretaria.

—Él no tenía problemas de la vista, y parece que me echaba los ojos, pero yo salía con Mario. El año pasado vino al vivero a comprar, preguntó por mí. Yo no estaba, entonces una amiga mía le tomó el número de teléfono y me lo pasó. Lo llamé y nos encontramos. Nosotros no salimos, no es que vayamos a bailar, nos vemos una o dos veces por semana en casa. Lourdes lo conoce, piensa que es mi amigo, no pasa de ahí. Igualmente, este pibe... bah no es ningún pibe, tiene cuarenta y tres, dos hijos y es separado, no se juega, entonces yo tampoco. Pero me gusta estar con él porque es confiable. Además, hace que me tranquilice, que no busque. Y la verdad es que no estoy para bancarme un hombre con sus manías. Me pasa que yo quisiera una cosa, y la realidad siempre es otra. Sola sé hasta dónde puedo, con qué fuerza cuento. Con otra persona me sentiría presionada. Es muy riesgoso depender de otro. Hoy me banco cosas de José que no me gustan pero no la corto, sé que me dolería. De pronto me enojo porque faltó toda la semana, o porque no me llamó tres días y pienso en no verlo más, pero después dejo que las cosas sigan su curso. Antes, me hacía malasangre; ya no tanto, sé que vuelve.

No sé por qué se da esta relación en este momento de mi vida. Me parece que estoy más tolerante porque no quiero estar sola. Evidentemente, no quiero estar sola.

Buenos Aires, 15 de junio del 2008

Cuando le propuse integrar la gama de madres elegidas, disparó: "¿Voy a poder decir todo lo que pienso? Como no veo las caras de las personas me aguanto muchas cosas. La verdad, soy impulsiva. Si fuera por mí, saldría a la calle caminando rápido, a los bastonazos". Silencio. Palabras entrecortas, alguna que otra queja y Luciana cortó la comunicación telefónica. Disculpas por el apuro y adiós.

No sostuvo esta actitud/postura en el cara a cara. Tal vez la fiera es aparente, o todo lo contrario; son las mismas garras las responsables de haber forjado su destino.

Para nuestro tercer encuentro elegimos un bar de la esquina de Ravignani y Paraguay; dos cafés negros y medialunas. Hay algo de sol.

—*¿Cuesta salir a la calle?*

—Muchísimo, yo tengo coraje porque no veo. A mí me dicen con susto: "¡Vivís en Constitución!". Si viera, capaz que no saldría de casa porque me asustaría la cara de la gente. En cambio, cuando camino por entremedio de todos, sólo los escucho. No me agreden ni me tocan, al revés, quieren ayudarme. Mi hija cruza de vereda porque hay chicos fumando o tomando, yo ni me entero. Si pudiera ver, seguro que estaría todo el tiempo cruzándome de vereda. Mejor que los demás vean por mí. De todas maneras, no me queda otra. Creo en Dios, a diferencia de otros que pierden la fe. Confío en que Él me guía; si no, me hubiera quedado en casa de mis padres. Pienso que todo lo que pasé, como mis salidas a las seis de la mañana en Monte Grande, cuando no había nadie y me ladraban los perros y no podía desconcentrarme y tenía que guiarme por el sendero con el bastón hasta la parada del colectivo, porque si me perdía, quién me iba a encontrar... nadie, me demostró que tuve ayuda de Dios.

—*¿Qué te falta?*

—No sabría qué decirte porque, para mí, veo. Y me pasó que, no sé si para bien o para mal, durante bastante tiempo me negué a aceptar que no veía. La gente me decía "no podés" y yo hacía igual. En casa, mamá, para protegerme, me prohibía que saliera al patio, pero yo me escapaba por la ventana y me trepaba a los árboles. Eso me hacía sentir bien, era vencer, ir más allá de los límites. Si existiera otra educación, si la gente aprendiera a valorar a los que ven diferente…

—*¿Cómo ves?*

—Para mí el mundo es algo compacto; lo que es palpable, existe. Este lugar es oscuro, bullicioso, calentito; se nota que entran los rayos del sol. Percibo esto, lo que siento. Capaz que si viera tu cara, el espacio y los colores, sería demasiado. El mundo visual es tan amplio, demasiado grande para mí. Tenés un horizonte y no sabés dónde termina. Pensándolo bien, tiene un final, pero no se puede tocar. Si pudiera ver me sentaría en una terraza y sentiría que lo que veo es la nada, el infinito.

Dicen que los que no vemos tenemos los otros sentidos más desarrollados; no lo sé, porque no sé cómo perciben los demás. Yo, por ejemplo, no soy de guiarme por el olfato, olfateo en forma natural, porque si lo hago intensamente, me viene un montón de aire a la nariz y no siento nada. Igual, no es que el olfato aporte demasiado; en cambio, el oído sí es importante. Y lo que imagines, uno se hace la imagen de acuerdo a lo que escucha, de acuerdo a qué te dijeron, cómo te lo dijeron. No me significa nada enterarme de que una persona es morocha, de pelo corto o largo; cuando la escuché hablar, la vi.

Lo que me pone mal es que me hagan notar que no veo. En el trabajo, por ejemplo, cuando me dicen que no voy a poder, me limitan. O estoy en la parada de colectivo, pero si alguien no hace señas, el conductor sigue de largo. ¿Cómo puede ser que ese señor no se de cuenta de que estoy en la parada con un bastón blanco, esperando? Los demás me hacen notar mi discapacidad. Claro que no todas las personas son iguales, hay gente que me enseña y que se preocupa y ve por mí.

—*¿Cómo me ves?*

—¿Te digo la verdad? Morocha, pelo largo, por los hombros, ondulado, delgada. Sos alta. Me hice una imagen de vos cuando me llamaste por teléfono la primera vez. Sé que ahora estás enfrente de mí, obviamente, pero te estoy viendo como cuando hablamos por teléfono.

—*Imagino el martirio de responder a ciegas.*

—Cuando contesto, estoy en mis pensamientos; no pienso en vos, confío. Te creí desde que hablamos por primera vez. Además, las apariencias engañan, mirarte no cambiaría nada.

Mis viejos, pudiendo ver, no vieron cosas muy importantes. Mis hermanas fueron violadas a los doce y trece años. Y mi hermana mayor me contó que fue abusada de chiquita por un primo. Mamá confiaba ciegamente, en cambio, yo aprendí a cuidarme de la gente, a diferenciarla. Mi cuñado, el marido de Estela, intentó abusar de mí y de mi hija. Un día me acompañó a la parada del tren, pero agarró por otro lado. Me di cuenta porque hacíamos curvas, y el camino era derecho, lo conocía bien. Armé un escándalo, grité como loca; recién entonces me dejó ir. Y con mi hija intentó lo mismo. Una mañana nos estábamos duchando y me dice, de la nada, que el tío es un chancho. Y por lo que me fue contando me di cuenta de que se exhibía delante de ella. Fue un drama. La llevé al hospital, le hicieron un tratamiento psicológico para saber qué había pasado. Por suerte, no fue nada más que eso; Lourdes tenía cuatro años. Mi hermana decidió creerle a su esposo, a mí no me vio más. Ya huérfana de madre, me había volcado a mi hermana y la perdí. Antes, le dejaba la nena cuando tenía fiebre, me quedaba más tranquila que con nadie. Me había costado confiar, entregarme, y cuando por fin lo logro, pasa esto.

Siempre viví con el fantasma del abuso, pero pensaba que eran cosas de mi mamá, del campo, del pasado, que en Buenos Aires había otra cultura. Pero estaba atenta, inevitablemente, quizá por eso pude darme cuenta. Pude "ver".

—*¿Lourdes es diferente a las otras chicas?*

—Creo que sí, porque le preocupa qué va a ser de mí cuando ella no esté. Es inevitable.

—*¿Qué te da?*

—Ella prolonga mi vida, me hace tener ganas de ir para adelante. Por ejemplo, el estar acá charlando con vos. Si no fuera por Lourdes mi vida hubiera sido una cárcel. Estaría perdida, hundida en un pozo depresivo.

Me marcó a fuego lo que pasó con Mario, la desilusión. Y fue terrible verlo con otra mujer y permitir que ella estuviera con mi hija, que la llevara en brazos, que ayudara al padre a cuidarla. Me costó, a pesar de que lo entendía, sufrí mucho.

Pero bueno, hay un Dios y Él nos ayuda a salir adelante. Pude superarlo de la mano de Lourdes.

—*¿Qué más trajo su mano?*

—Con ella apareció algo que estaba cortado: el amor. Mi papá estaba siempre enfermo, mi mamá parió ocho hijos y hacía el esfuerzo por criarnos, pero no nos tuvieron por amor. Yo sabía que existía algo diferente, y pude crearlo. Y a pesar de que en mí no estuviera el sentimiento de raíz, pude hacer que naciera de un gajito, y que creciera y formara una enredadera que –con suerte– pasará a otro árbol.

El nacimiento de Lourdes, me dio la vida.

Una tarde vi a Luciana caminando hacia el vivero. Erguido su cuerpo, en alto sus ojos blancos. Cuando la esquina se hizo notar, el bastón buscó hacia un lado y hacia el otro. No sé en qué momento supo de mí; quizá cuando mi brazo fue suyo. Y se rió de la nada, y me prometió una flor.

Valeria

"Milo parió en mí la femineidad".

Mujeres de todas las edades ejercitan sus cuerpos en el agua de esta pileta. Ella es la reina. Redondeada sobre la panza que acaricia, se gira y pregunta lo que sea, pero en voz alta. Claro, será madre. Lejos los movimientos que la hundían por llevarla a ningún lado; disueltos los secretos de este cuerpo que a sus cuarenta años crece, se dimensiona imperturbable, se vuelve luz.

Cuenta Valeria que el embarazo, si no es un milagro es, al menos, una sorpresa absolutamente feliz, casi un regalo. Y confiesa, a dos meses de la fecha de parto, que se le avecina una sensación abismal: parir.

Noventa días después, el dar a luz es un recuerdo. Relato al fin.

El parto

—"Esto no es pis". La partera supone que podría ser el tapón mucoso. Sugiere que use un algodón y que me comunique con ella en una hora y media. ¿Qué hago? Falta un rato para el curso de preparto, y pensaba comprar botones para las fundas de los almohadones nuevos, así la casa va quedando armada. Mejor voy primero a la mercería, por si después no me da el tiempo. Camino, estos días prefiero no manejar. La panza se pone dura, después se ablanda, demasiadas contracciones. Es normal, eso dicen. Ya tengo los botones en la cartera, suenan mientras camino incómoda, las manos atajan esta panza mía que deja con la boca abierta a los que no pueden evitar comentar sobre su altura, forma y tiempo de gestación; me pudrieron. Subo a un taxi y llego al curso. Cuento que chorreo y recibo la misma respuesta de hace un rato. Tengo obstetra a las cuatro de la tarde, prefiero no seguir averiguando, total después me entero. Llamo a Gastón desde el celular, me busca por el curso y me lleva a ver a Eduardo, el obstetra. Media hora después, llegamos al consultorio y nos encontramos con la sala de espera repleta de mujeres, aunque sólo hay tres panzas y todas más chiquitas que la mía. Me ubico frente a una que no debe pasar los cinco meses. Nos tomamos de nuestras panzas como si fueran a caerse, como articulando una coreografía prevista, cuando siento que me baja una cantidad de líquido importante. "Me estoy empapando", aviso y soy escuchada. Segundos después estamos en el consultorio, yo con las piernas abiertas.

"Todavía no hay dilatación", Eduardo me revisa, me dice que tengo una fisura, el cuello está blandito y aunque no se borró, es permeable al dedo. Me incorporo con esfuerzo. Flaca, tenés que internarte, seguramente pasás una noche tranquila, sin comer nada y mirando la tele. Mañana a las nueve de la mañana vamos con la partera, te hacemos inducción y parís.

Estoy básicamente feliz, con la certeza de que Milo nacerá en pocas horas. Y con mucha incertidumbre y nervios; sin miedo. Ya fuera del consultorio, Gastón se abalanza sobre un puesto de flores, me regala rosas rojas. Somos pura excitación. Llegamos a casa. Las flores quedan sobre la mesa, entro a la ducha. Me sigo empapando y ahora me impresiona que caiga un poco de sangre. Gastón está conmigo pero no ve nada; demasiada agua, panza y falta de espacio; estoy molesta, pero aguanto. Quiero terminar lo antes posible y llamar a la partera, lo hago. Me cuenta que la sangre aparece por el tacto del obstetra, es totalmente normal, mejor así. Y sugiere que, con el bolsito en mano, vayamos a la clínica. Tomamos un taxi, Gastón tampoco quiere manejar. No hablamos en el trayecto, miramos el tránsito como si tuviera algo que decir. Las contracciones aparecen más seguido, sin dolor, aunque molestan. Prefiero que él no lo sepa. De todas maneras, no pregunta. Llegamos a la clínica y abandono el silencio para –literalmente– no parar de hablar. Mi boca también chorrea. Arranco con el señor que me abre la puerta, y sin dejar de caminar, pregunto dónde debo internarme. Nos indican un décimo piso. Me zambullo en el ascensor y arrastro a Gastón del brazo; que esperen los demás. Llegamos a la ventanilla indicada. Disculpame no estoy en trabajo de parto pero posiblemente vaya a inducción mañana igual vengo a internarme porque rompí bolsa y tengo que pasar la noche acá, tomar antibióticos.

—¿La partera?

—¿Qué partera?, no entiendo.

—Para internarte tiene que estar tu partera.

Gastón busca el celular y llama a Nora, su número está archivado en la agenda –excelente idea–. Pone el teléfono en mi mano, en mi oído. Ella está atendiendo un parto en San Isidro, o sea, no está disponible. Me pide que espere unos minutos, que se comunica con una colega suya que está a tres cuadras de nuestra clínica y me avisa. Ya está; en un segundo llamado me informa de la disponibilidad de Lorena, la "otra", la que desconozco. Me disgusta esta solución pero son las nueve de la noche y me gana el cansancio, quiero estar tirada en una cama. No me dejan, me conformo con esta silla. Gastón se ocupa del papeleo, gana tiempo hasta que llegue Lorena. Me pregunta tres veces el número de documento, quiero matarlo. Las contracciones empiezan a doler, y mucho. Lorena llega diez minutos después. Parecen cuarenta. Me saluda, no me importa, quiero estar horizontal. Finalmente, una mucama –después me entero que los roles están absolutamente diferenciados, no vaya uno a confundir a una enfermera con una mucama o con una puericultora– se ofrece a acompañarnos hasta el cuarto 1007. Camino como puedo, Gastón siempre conmigo. Llegamos, es fabuloso. Pertenece al ala recién inaugurada del sanatorio, anuncia la mucama como si se tratara de la publicidad de un jabón en polvo. Y agrega ya desde la puerta, que por error –evidentemente–, nos asignaron la suite presidencial. Una anécdota más que recordaremos. Hacen un monitoreo, Lorena me advierte que tengo para rato, que la bolsa está rota, pero podría estar así por días. Lo más probable es que a la mañana induzcan el parto. Acepto los calmantes para aliviar el dolor de las contracciones, total, tengo la noche por delante, para qué andar sufriendo. Son casi las once y estoy como quería: tirada en una cama. Mejor que descanse, así mañana tengo fuerzas para parir. Lorena se va. Gastón se acomoda en el sofá que está junto a mí. Veo qué rápido se duerme; claro, anoche se descompuso, está agotado. Yo tampoco doy más, descanso profundamente. Al rato: ¡ah!, duele. ¿Qué es esto? Sólo alcanzo a aferrarme al botón para llamar a la enfermera; llega rápido. Es una chaqueña divina que intenta hacerme respirar pero no lo consigue porque me estoy muriendo del dolor. Aprieta mi mano, respiramos juntas, la miro todo el tiempo como pidiéndole un poco de aire. No sé cuánto nos quedamos así, parece un siglo. Me explica que son las contracciones las que duelen. Aparecen cada diez minutos, después cada cinco. Los milagros existen; el dolor pasa, las contracciones desaparecen. Le digo chau. Ya que está todo bien, quiero dormir. Gastón no se enteró de nada; ronca. Son las once y media. Duermo yo también hasta que ¡ah!, otra vez y ahora sí, veo que abre los ojos. Está muy cerca de mí y –simil chaqueña– toma mi mano y me mira:

—Respirá, mi amor.

—Es que no puedo.

—Acordate del curso.

—Es que no puedo, es que no voy a poder. Duele mucho.

—Las contracciones no son lo que me habían contado. Es mentira que aparecen despacito; entonces se puede tomar aire y prepararse para lo que vendrá. Estas putas lanzas aparecen de golpe, como un hachazo en la cintura, no en la panza. Empiezan ahí arriba y terminan ahí arriba. Ahora entiendo por qué algunas minas prefieren la cesárea. Antes pensaba que eran unas boludas por elegir una operación… ¡ah! La puta madre, cómo duele. Basta. Estoy teniendo tres contracciones cada tres minutos, me entero por la enfermera que vino a socorrer a Gastón que está asustadísimo. Ella está igual o peor, no me doy cuenta. Tengo ganas de ir al baño, no me deja porque, en las indicaciones, mi obstetra indicó reposo absoluto. Supongo que tiene miedo de que abra las piernas y cague al bebé. Lo único que sé es que mi cuerpo hace fuerza más allá de mi voluntad, imposible manejarlo, como si no me perteneciera y, a la vez, como si fuera más mío que nunca. Veo cómo la chaqueña sale del cuarto para pedir por la obstetra de turno, grita por la obstetra de turno. Llega otra mujer de delantal verde y ojos agrandadísimos. Es ella quien abre mis piernas. Mete la mano bien adentro… qué bestia… me revuelve… qué feo… y me pregunta si llamé a mi obstetra. Pregunto por qué habría de llamarlo si el bebé nace mañana. Porque tenés seis de dilatación.

Puedo sentir mi sangre, ahora hielo. Cuesta creerlo; son las cuatro menos cuarto y ya estoy ahí.

Gastón llama a mi obstetra y a mi partera, me calma escuchar su voz. Un tipo algo gordote me acomoda en una camilla, veo el techo iluminado solamente, me está moviendo. No veo a Gastón, me desespero. "El va por otro lado porque tiene que cambiarse de ropa", advierte el mismo hombre que recién me acomodó. Él no entiende que me niego a que me separen de mi marido. Qué soledad. Me escucho gritar, no soporto una contracción más. Necesito levantarme, me aferro a las manijas, me esfuerzo por salir, no me deja. Las instrucciones de mi obstetra me condenan a un reposo absoluto y absurdo, porque, de todas maneras, ya estoy en trabajo de parto, ¿dónde mierda está mi gente? Estoy en manos de "los otros" que acatan órdenes, únicamente. Al fin, llego a una salita. Me desnudan, me enfundan en una bata de papel y gorra blanca. Ninguna vergüenza, estoy entregada. Lo único que quiero es ver a Gastón. Lorena llama por teléfono a Nora que debe estar todavía en San Isidro, escucho que tengo siete de dilatación.

—¿Pueden llamar a mi marido, por favor? ¿Pueden llamar... al anestesista? ¡Quiero la peridural!

Entra Gastón –gran alivio– aunque el dolor no deja de ser tremendo. "Ni en pedo tengo otro hijo, nunca más vuelvo a pasar por esto", pienso, y acá estoy, haciendo fuerza. Lorena se pone cada vez más nerviosa. Sale de la habitación por segunda vez. La escucho comentándole no sé a quién sobre mis ocho de dilatación. No puedo pensar, siento que mi cuerpo explota. Lorena vuelve a mí, me advierte –una vez más– que no haga fuerza, es que no puedo más del dolor, no puedo relajarme, no puedo no hacer fuerza, va más allá de mí: quiero parir, me escucho diciéndole en un tono que hasta ahora desconocía. Y de repente se hace la luz, veo a Nora y siento un alivio y un amor, como si la conociera de toda la vida. En realidad, la vi dos veces y hablé con ella cinco. Pero tiene una cara tan tierna, tan dulce, y es Mi partera. "Vale, acá estamos todos". Con ella aparece Eduardo, estoy tan contenta que hasta lo veo lindo. Ahora es mi partera quien intenta que respire, aunque no puedo más que jadear. Que no haga fuerza porque me voy a desgarrar toda; que no es momento para que nazca el bebé, escucho a modo de orden, más que de pedido. Me agazapo dentro del cuerpo que me tiene tomada. Desde ahí, lo más parecido a una guarida que haya conocido, escucho su voz asegurándome que si aguanto un poco más, me inyectan la peridural y voy a poder controlar y todo va a estar bien. Me pide que la agarre fuerte de la cintura; la abrazo como si fuera mi madre. Nora necesita que curve la espalda para que el anestesista pueda darme la inyección. Estoy segura de que no va a poder, se lo hago saber a los gritos, llorando. Te voy a inyectar antes de que venga la contracción, ya vas a ver, retruca él con muchas ganas de ganar la partida. Lo logra. Bienvenida al paraíso, Valeria, me escucho diciendo, reconociendo –por fin– mi propia voz. Soy otra persona, puedo hablar, hasta soy capaz de disfrutar lo que pasa. Amo al anestesista, se lo digo de todas las maneras posibles, porque usted acaba de darme lo único que deseaba. Se ríen todos. Hasta Gastón, que también se relajó.

Entonces me trasladan a la sala de partos.

Todavía está alto, anuncia Eduardo; le ruego no ir a cesárea. Aunque mi cabeza esté más despejada, va a quinientos por hora. Gastón, pegado a mí. Él no se va, digo. Quizá imaginen que es un chiste, pero no podría pensarlo más seriamente; si sale, me voy con él. Son las cinco y cuarto. El anestesista pronostica con total seguridad que antes de las seis nace. Me calmo, un poco. Escucho que el obstetra le cuenta a la partera que demoró nueve minutos en llegar, ya que tan temprano por Libertador no hay nadie. Me alegra escuchar algo que nada tiene que ver con esta espera que se hace tan larga como incomprensible. Quiero que nazca ya mismo, pero no siento las contracciones. "Van a venir y las vas a sentir", pronostica la partera, con razón. Pero ellos deben señalarlas. Es como andar a ciegas y con un bastón ajeno.

Eduardo se ubica delante de mí, me revisa, me cuenta que el bebé está alto, pero va a bajar. Después, deja el lugar a la partera. Es loquísimo; veo sus manos con guantes y sangre entrando en mí y la imagen es la de una mujer torneando una olla de cerámica, la alisa, le da forma, el agujero es de un tamaño grosso. Está agrandando mi concha. Miro cómo agranda mi concha. Me avisan que vuelven las contracciones. "Respirá, retené el aire..." indica la partera –sé que aprendí esta lección en el curso de preparto, ahora sé que la olvidé–, "y cuando te avise, pujás". Gastón levanta mi espalda para que haga fuerza, la partera se tira encima de mi panza, no me importa nada y la saco porque no me deja respirar, pero a ella tampoco le importa nada y me aplasta. Eduardo repite pujá, y hacé la fuerza acá abajo, como si estuvieras cagando. Me encantaría hacerlo pero mi cuerpo está dormido, no lo reconozco y a la vez descubro una fuerza tremenda. No podría decir de dónde viene; sólo sé que me agarro de los fierros que hay al costado de la camilla y pujo. Siento que me rompo toda; la fuerza es brutal. Las voces me estimulan como una hinchada: "si pujás con todo, sale". Pujo, una vez y otra vez (...) "No hagas fuerza con la cara, hace fuerza acá abajo, ¡dale!". No puedo más, suelto el aire. Mi partera avisa que no es momento para parar porque el bebé está en una zona donde no debería quedarse mucho tiempo: "Tenés que sacarlo ya". El susto provoca en mí un impulso tremendo y siento esa masa, ese volumen que sale de ahí adentro, sin movimiento, sin forma. Nace Milo.

Lo primero que pienso es qué lindo es mi hijo. Y pregunto si está dormido, porque no llora ni grita. Nora, re-tierna, me dice que sí, que duerme. Y lo ponen sobre mí, lo frotan con la toallita, el gordito empieza a llorar. Lo veo tan lindo, tan rosadito; no gris, rosadito. Lo único que hago es darle besos y besos y más besos en la carita y en la manito. Lloro, Gastón llora; una emoción absoluta. Un placer absoluto. Un amor total. El parto es único. Incomparable en dolor y en felicidad. Milo sobre mí es el ser más bello del mundo.

La neonatóloga se lo lleva. Le pido a Gastón que vaya, que ni se le ocurra perderlo de vista. Nos quedamos solos, Eduardo y yo. Él me conoce desde la adolescencia, también a mi familia. Mientras me cose –mis piernas abiertas desde hace tantas horas que perdí la cuenta– conversamos: "Es un divino este pibe, y se lo ve recontra-comprometido. ¿Viste? Tantas historias, y al final estás con un tipo que te quiere, que querés, y tuviste un hijo". Eduardo tiene razón. Éste es el momento más feliz de mi vida.

Nuevamente en la habitación 1007. Es re-loco, acabo de parir y siento como si recién me despertara después de quince días de vacaciones y de estar haciendo huevo. Tengo una energía, una felicidad, un placer. Milo de nuevo sobre mi pecho. Se prende a mi teta izquierda primero, con naturalidad. Sé cómo hacerlo, él también. Nos resulta fácil.

Lo increíble es que mi cuerpo reaccionó bien. Después del parto no tuve dolores ni pérdidas de sangre. A los veinte días me dieron de alta, podía coger y todo. En realidad, nunca dejé de tener ganas. Es más, los últimos días de embarazo Gastón se inquietaba porque podría romper bolsa, ¿Qué importa? Le decía: ¿No querés que nazca? Yo también.

—*¿Qué fantaseabas sobre la maternidad, Valeria?*

—Que iba a estar todo bien porque tenía muchas ganas de tener un hijo, porque tenemos una pareja copada, de mucho amor. Pero, en verdad, me preguntaba si al ver a Milo iba a sentir un amor profundo o un desconocimiento, si me iba a costar cargarlo y cuidarlo. Nunca fui madre. Además, no me gusta imaginar porque, en general, cuando uno fantasea, idealiza, y después te encontrás con la realidad y te querés matar.

Un año después

Valeria me recibe en el departamento que Gastón heredó de su abuela. Antiguo, techos altos, espacios amplios, arquitectura típica de la zona céntrica de la ciudad de Buenos Aires. Los cuatro ambientes decorados a su antojo: muebles viejos y colores fuertes, mucho naranja. Es lindo estar acá. Milo duerme la siesta de todas las tardes.

—Qué bueno que hablamos al toque de parir porque, con el tiempo, me fui olvidando de un montón de cosas. Sí, me acuerdo que no quedé ni agotada ni dolorida, tuve pérdidas por unos días, no me salieron hemorroides, que es re-común. Yo estaba horrible, obviamente, aunque las primeras semanas no me importaba nada, porque era tanta la novedad... no me vestía, estaba en bata todo el tiempo, en casa. Pensaba en la teta, no me daba para ver cómo había quedado la panza. Ésta es otra cosa de las que te corrés, y si no te corrés, está todo mal. Esta máquina mía salió perfecta para tener hijos, me doy cuenta de que podría tener seis si quisiera. Mi mamá tuvo varices, y padeció los embarazos, se la pasó vendada y con el cuarto se pudo haber muerto. Se ve que mi cuerpo tiene que ver más con lo tano, con la familia de mi viejo.

No sabía lo que me iba a pasar después de parir. Y me sorprendí con poder quedarme en el nido lo más bien, y que el tipo viniera a cuidarme, a ver si me faltaba algo, a organizar la casa, las compras; mientras, yo estaba relajada, ocupándome del bebito. No me molestaba en lo absoluto, no quería poder otra cosa. Gastón me sostuvo todo el tiempo. Soy sincera, no sé si hubiera podido sin él.

Gastón es músico, tiene un hijo de diez llamado Ivo. Valeria es artista plástica y vive de los collares que fabrica y aprecia el mercado argentino y extranjero de gustos caros. La pareja se formó hace tres años. Seis meses antes de parir, ella se mudó a su casa.

—Me acuerdo que apenas nació Milo –todavía me pasa– me sentía muy frágil, lloraba todo el día. Estaba muy sensible física y anímicamente. Creo que tiene que ver con la entrega. Una tiene que estar conectada y atenta a esa cría; abierta, receptiva y sensible para darse cuenta si se siente mal, si tiene sueño, si necesita comer, si se hizo caca, porque él depende de vos absolutamente, solo no hace nada. Pero no actuás desde la cabeza, como una máquina tipo robot, es más de corazón y de sensaciones.

Los bebés abandonados mueren por falta de caricias. Es re-loco, pero es así. Si los hospitalizan, la enfermera puede ocupar el lugar de la mamá. Como sea, tiene que haber alguien que maternice.

Los amigos de Valeria, sorprendidos: aunque primeriza, pareció haber entendido todo desde un principio.

—En verdad, la pasé bien. No me era denso el tema de la responsabilidad. Viví con total placer que Milo dependiera absolutamente de mí las veinticuatro horas. No me generó ningún rollo ni angustia, no tuve que pelearme conmigo. Se ve que quería eso y estaba entregada. Darle teta también me fue fácil; veinte minutos en cada una al principio, y menos a medida que fue creciendo. Mientras le daba, lo mimaba, lo miraba. Muchas veces me ponía a ver tele, estaba media hora y no me importaba nada, él la pasaba bien, yo también. (Me sigue pasando que lo abrazo todo y me quedó mirándolo, le doy besos y le hincho las pelotas, necesito ese contacto). Algunas noches, cuando lloraba, después de la teta, me lo dejaba durmiendo encima. Un rato después me despertaba y lo ponía en la cuna. Lo dejaba para poder agarrar a mi pareja, otra cosa.

—*Qué recibe Milo.*

—Supongo que le doy lo que me hace bien a mí: una casa calentita, con mucha luz, ropa de colores. Y adoro bañarlo. Cuando lo tuve, la jefa de neonatología me dijo que no podía sumergirlo, pero sí lavarlo, aunque no se le hubiera caído el ombligo. Fue lo primero que hice cuando llegué a casa. Siempre bañé a los hijos de mis amigos, me encanta. Y darle de comer, también, porque es otra manera de vincularte. En casa siempre hay comida rica. No cocino, pero me ocupo de que haya bifecito de lomo con puré, la pechuga de pollo, que coma verduras, jugos de frutas. Me crié alimentada por comida casera y sana que preparaba mi vieja. En verdad, un hijo come lo de uno. Seguro que traen lo suyo, pero la mayoría de las cosas tienen que ver con los hábitos. Ha pasado que Milo rechace un sabor, pero si insisto, lo acepta. En cambio, si dejo de darle, cagué. Es cuestión de costumbres, creo yo.

Por eso creo que ser madre es difícil; hay que estar muy atenta a lo propio porque, sin dudas, una lo transmite.

La bibliografía recomendada por otras madres, quedó quieta en los estantes. Sus hojas cerradas/secas/apagadas. "Mejor así", sentencia Valeria.

—En un momento me obsesionó esto de poder controlar los horarios de la teta del bebé cada tres horas, como "debe ser", como indican los especialistas, y me fui al carajo; en quince días engordó cien gramos. Me angustié, me sentía horrible, que no podía cuidar a esa cría, que no podía ser madre. Y no pude cuidarla por querer hacer las cosas "bien".

Los primeros quince días de vida de Milo había estado súper relajada y receptiva y el bebé había funcionado perfectamente bien. En cuanto me puse firme, "a ver, organicemos", chau.

El "antes de" se impone. Descubre a la Valeria que fue hasta que se supo madre.

—Siempre tuve polenta, iba y venía a todos lados, de día, de noche, y nada me daba miedo. Me acuerdo a los veintipico de años de salir con el auto en pleno diluvio y quedar boyando y que no me importara, cero angustia. En cambio, durante la última lluvia fuerte, yo estaba en el taller; Milo en casa con la *baby-sitter*. Cuando vi que las calles se inundaban y que podía quedarme varada o que no iba a poder encontrar un camino para llegar a casa, me desesperé. Me temblaba la voz, me dieron ganas de llorar. Lo primero que hice fue llamar a Gastón para que me consolara. No lo encontré, le deje un mensaje. A los cinco minutos me llamó, me largué a llorar, le dije que no entendía por qué estaba así de angustiada. "Pasa que estás más linda", me contestó. Esta cosa de estar más femenina, más vacía, pudiendo recibir.

Pregunto a quién se parece. De más.

—Dicen que es igual a mí.

—*¿Su primera sonrisa?*

—No podría decirlo, nació sonriendo.

Juana, que acomoda el desorden típico de un fin de semana familiar, se acerca con el mate y un termo flúo. Quiere saber si hay ganas de zapallitos rellenos para la noche. Parece que está bien para Valeria. "Es una divina", dice para ella y para mí.

—¿Ves? Éste es otro de los cambios; siendo mamá, necesito ayuda sí o sí.

Al "desde que nació que no pego un ojo", Valeria retruca:

—Duermo bien porque él duerme bien, y de corrido; de todas maneras, un sentido mío está siempre despierto y atento. Me acuerdo que cuando Milo tenía tres meses, mi suegra se quedó cuidándolo; nosotros teníamos una fiesta –y no me avivé de decirle que le sacara la cadenita al chupete, la que se prende a la ropa–. Llegamos, el bebé dormía a oscuras. Era de madrugada y escuché gemidos, muy bajitos, casi imperceptibles, la tirita estaba apretándole el cuello.

Un lugar común la lleva a otro que, en cambio, desestima.

—"A mi hijo lo amé desde la panza", ésa sí que es una frase hecha, creo yo, otra idealización. Mientras estaba en la panza, no sé si quería al bebé, no podía ni planteármelo, lo mío era un deseo supuesto de…

—*¿De tener un hijo o de ser mamá?*

—De ser mamá, y para mí ser mamá era estar embarazada. Me sentía madre porque estaba alimentando a un feto y proyectaba lo que sería. La verdad es que, cuando lo tuve, no sé si lo quería, no me lo preguntaba. Hoy puedo decir que sí porque durante este año fui armando una relación con él, un hábito, una cosa de necesitarlo dando vueltas alrededor de mí y de querer verlo y extrañarlo cuando no estoy con él. Son días; a veces lo único que quiero es quedarme en el taller, pintando, tomando mate y boludeando y tengo que volver porque es la hora del baño o porque se va la *baby-sitter;* y otras, no veo la hora de llegar a casa. Hasta diría que es una necesidad física, abrazarlo. Aunque esté a kilómetros de distancia, no puedo despegarme de Milo. Es como un elástico del que nunca te desprendés del todo; se estira pero te tiene tomada, no se corta en ningún momento.

—La panza, ¿te falta?

—Qué me va a faltar, si lo tengo a él.

Valeria retomó la pintura veinte años después de su ingreso al Bellas Artes: enamorada y con un embarazo de dos meses.

—Se me puso bravo cuando Milo cumplió nueve meses. Quería despegarme, pero no podía. Me asfixiaba por momentos, necesitaba estar afuera, boludeando con amigos, lo que fuera, pero al mismo tiempo me costaba dejarlo, confiar en otro. Me quedaba tranquila cuando lo cuidaban mi suegra o mi mamá, pero no podía pedirles el favor todos los días. Gastón me reemplazaba los lunes a la noche... bueno, no es que me reemplazara, lo cuidaba, así yo me iba al taller a pintar. Cuando empezó este desprendimiento me costó. Necesitaba como persona, como mujer, como mamá, empezar a dejarlo; fue difícil, lloraba mucho.

También sabía que le iba a dar de mamar hasta el año, porque se me había metido en la cabeza y creía que quería eso. Después dije, bueno, si más adelante no me da para seguir dándole, vemos, se la saco, pero ésa era la idea. Lo desteté a los once meses.

—¿Cómo acompaña Gastón?

—Es un tipo que puede escuchar mi angustia, que se hace cargo.

—*¿Ayudó que haya sido padre antes de Milo?, pregunto.*

—Pensaba que sí, pero no se acordaba si a María le habían hecho la punción, si Ivo había llorado al nacer, nada de nada. Sí sabía que había perdido un nido y no quería repetir la historia. Ellos se separaron cuando Ivo era todavía un nene de dos años y medio, muy chiquito. Él tenía muchas ganas de volver a armar familia y sostenerla.

La mirada de Valeria concentra/cristaliza a Gastón-padre.

—Él es cariñoso con Milo, lo agarra, lo mira, le hace caras raras y el piojo se caga de risa. Cuando nació se acercaba poco, creo que le daba impresión que fuera tan frágil. Me dijo que con Ivo fue igual, que se relacionó mejor a medida que fue creciendo, que se hizo como más macizo, por decirlo de alguna manera. Siempre me dice que los hijos, cuando son bebés, son de la madre. Tiene razón.

—*¿Discusiones?*

—Él no quería que Milo durmiera en el cuarto con Ivo, tenía miedo de que lo despertara con los llantos. Una noche, sin avisarle, me quedé acunándolo como una hora; cuando estaba medio dormido lo acosté, se quejó un rato y después se durmió. Gastón no podía creerlo, me contó que Ivo había llorado los primeros dos años todas las santas noches. Ahora duermen juntos, Ivo deja la tele prendida hasta tarde. A mí me disgusta que Milo se duerma así, pero qué se le va a hacer, tienen que compartir el cuarto, no hay otra.

—*¿Salen de noche?*

—Al principio, ni se nos ocurría. Últimamente, un poco más, pero, la verdad, es que estamos reventados. Queremos dormir.

—*¿Sexo?*

—Cogemos porque, si no, hay una energía que no circula y, sobre todo, porque él se pone de muy mal humor. Pero si fuera por mí... Yo que siempre fui tan sexual, hoy no me importa nada.

Una semana tras el destete.

—Gastón se re-copó con las tetas, debe haber sentido que le volvían a pertenecer. Yo sentí cierto dolor, pero estaba en otra, me dejé llevar. La cosa es que, a la mañana siguiente, me había vuelto a bajar la leche como si fuera la primera vez, ¡me quería matar! Como el bebé ya no tomaba, me dolía horrores. Llamé a Eduardo, no lo podía creer: "Sos boluda, sacas a un chico y ponés a otro", dijo. Ahí tuve otra vez el registro de lo perfecto que es mi cuerpo, responde enseguida: me chupan las tetas y produzco leche. Fin del cuento: tomé una pastilla para que me cortara la leche, me saqué lo que tenía en la ducha, y me vendé las tetas bien fuerte durante setenta y dos horas. Evidentemente, somos mamíferos.

—*¿Fuiste amamantada?*

—Sé que tomé por lo menos seis meses, como todos mis hermanos. No sé si me habrá dado un poco más, tendría que preguntarle a mamá.

Son el recuerdo de esas otras manos las que hicieron de las suyas la herencia. Volcadas hacia Milo.

—Hoy me encuentro dándole uvas a Milo como me las daba mamá a mí: las pelo, las parto al medio, les saco las semillitas y se las doy. Gastón me dice que estoy loca, pero mamá nos alimentaba con dedicación. Era amor. Por ahí, si ella hubiera hecho las cosas de otra manera, yo sería otra mamá. Lo hablábamos con una amiga que acaba de tener una beba. El día que nació su hija le dijo a su mamá que estaba muy angustiada y ella le contestó: "No sabés cómo estaba yo cuando naciste". Un garrón.

—*Valeria, hija de quién.*

—Primero tendría que hablar de mi abuela Tota; nos amábamos, yo era su preferida. Pasaba mucho tiempo con ella y con mi abuelo en la chacra de Uribelarrea. Ella era muy abuela, cocinaba como los dioses, le daba placer dar. Me regaló el primer muñeco que tuve y el último, porque después no quise ningún otro. Moría por ese bebé y hoy, estando con Milo, se me aparecen escenas de cuando tenía cuatro o cinco años y jugaba con él. Era como un hijito para mí; lo acunaba, le daba la mamadera, lo hacía dormir. La abuela le tejía la ropita, todavía la tengo guardada. Para mí no había mejor programa que estar con ella. También la recuerdo repitiéndome: "Sos la más parecida a tu mamá. Físicamente, y por la forma de ser, pero no se lo digas a tus hermanas que se van a poner celosas".

Con mamá era diferente, siempre hubo distancia. En cambio, mis dos hermanas son re-pegadas, tienen algo más simbiótico.

De chicas teníamos rótulos: yo era la "voluntariosa" por la perseverancia para lograr lo que me propusiera –no la capacidad–; la del medio era la inteligente, poseedora de grandes condiciones; la más grande era la desbolada, la que no podía sola.

Sin fotos, no hay familia que se deje conocer.

—En casa, todo lo hacía mamá: la mayonesa, el dulce de leche, la pasta, la pizza; nada de ir a comprar al almacén. Ella siempre fue muy del hogar, de armar el nido. Cocinaba con mis hermanas al lado. Es comprensible, mi vieja es una divina, es una mina conectada, que se ocupa. Está siempre para lo que necesites porque no te quiere ver sufrir: "Dejame, dice, lo hago yo".

Pero de chica yo no quería depender de nadie. En algún lugar hay una identificación porque mi vieja también puede todo sola y mis hermanos dependen de ella. Y por otro lado, le cuesta pedir; siempre está dando antes de que el otro le pida, no importa lo que necesite. Quizá demasiado y esa forma de ser obtura el deseo.

Milo llora y Valeria se levanta con un "perdón" que se pierde entre el sillón y el pasillo que nos lleva al cuarto, a la cuna. Cómo saber quién de los dos sonríe primero. Yo no debería estar acá.

—*¿Y tu padre?*

—Él, por suerte, es lo opuesto. Es el que te hace buscar: está, pero lejos, trabajando. Él piensa que la casa y los hijos son de la mujer. Yo me llevaba bien con mi viejo porque siempre estaba dispuesta. Él, chocho; jamás me puse a llorar porque me encaprichaba con la calesita o porque quería algún juguete. No, yo, a los cinco años, iba feliz de su mano a la ferretería, al veterinario, a comprar alpiste para los veinte pájaros que tenía en casa. Lo que fuera.

Hubo un hito muy importante cuando mi hermano empezó a caminar. Un fin de semana nos estábamos yendo de compras, cuando escucho que mamá sugiere que llevemos a Nicolás. Me quedé dura. Le advertí a papá que, si lo traía, yo me quedaba en casa. "Está bien, vamos nosotros dos", dijo mi viejo.

Para mí fue fundamental que respetara esa relación. Pasaron tantos años y sigo recordando el episodio.

Pensé que no podríamos de a tres, estaba en lo cierto. Hasta que Milo se trepó a Juana.

—¿Quién te pudo siempre?

—Mi papá, por amor. Me acuerdo de sentirme muy atraída hacia él, de estar a upa y abrazarlo; su olor me extasiaba. Quería un hombre igual a él, en verdad, lo quería a él. Después, de más grande, le pedía que me buscara novios. Me pasaba que, en proceso de enamoramiento, se me venía a la cabeza, por el tipo de piel o de olor, siempre había algo que me lo traía. Al principio me chocaba, y después pensás: "Claro, es la única manera, te tiene que pasar esto para que realmente puedas armar algo".

De más está decir que Valeria niega cualquier similitud entre su padre y su marido.

—¿Fuiste una hija deseada?

—Fui un hijo deseado, siempre lo supe y lo sufrí muchísimo. Es más, después de mi nacimiento, mamá no podía tener más hijos por un problema de várices que la obligaba a pasar los embarazos con las piernas vendadas. Pero tres nenas no bastaban, ella *necesitaba* el varón, así que vuelve a quedar embaraza y nace Nico. El deseo terminó siendo mayor que su prudencia; se podría haber muerto en el parto.

Pero se ve que hacía mis esfuerzos por satisfacerla, porque el no depender es muy masculino. El otro día, mi hermana mayor me dijo que siempre admiró a las minas que pueden competir, que se bancan solas y hacen lo que quieren. No, le contesté, porque una quiere ser mujer, no convertirse en un hombre que todo lo puede.

Para nosotras, el lugar de la mujer estuvo siempre tan desvalorizado porque no puede, sufre, se deprime, es una sometida: es mi mamá.

Hasta conocer a Gastón, Valeria vivió en un loft *de dos pisos; madera, luz y cuadros; ubicado en Vicente López, a una cuadra de la estación del tren. Un espacio propio que fue pagando de a poco.*

—Vengo de buscar mucho. La mayoría de los hombres con lo que estuve eran sensibles, siempre relacionados al arte o con carreras afines, como arquitectura. Pero no la tenían resuelta, ni vivían de lo suyo ni trabajaban de otra cosa para poder pintar, por ejemplo. Estaban desarmados. La economía caía sobre mí, no porque los mantuviera sino porque hacía muchas cosas para que pudiéramos disfrutar. Es más, la mayoría de ellos tenía hijos que no podían mantener. No me importaba; justamente, lo que me atraía era la informalidad, y que no eran ni estructurados ni típicos. Veía al hombre más sensible contraponerse al que labura, al convencional.

Vengo de los márgenes, siempre buscando lo que está más allá del renglón. Y es muy difícil construir afuera, donde no hay ni guía ni nada. A veces pienso que se trataba de ver cuánto podía lograr con estos personajes difíciles; en general, hombres muy atractivos, lindos físicamente. Conquistarlos me hacía sentir bien. Ya está, prefiero olvidarme de las boludeces que hice.

El revés deseado

Un nuevo encuentro que parece más de lo mismo: Jacqueline se ocupa de la casa, de la comida. Milo duerme la siesta "porque las rutinas para los bebés son fundamentales", explica Valeria. "Y para las madres también", así reinicia esto de contarse, cuando es tiempo de hablar de amor.

—A Gastón le dije que me había separado de mi novio porque él no quería tener hijos y yo sí. Mentira. Horacio me dejó. Lo conocí cuando yo tenía treinta y cinco y él cuarenta y seis. Alto, rubio, de tez muy blanca y con unas manos y un cuerpo absolutamente espectaculares. Padre de tres nenas; periodista. Fue un flash desde el primer día que nos vimos en la reunión de una amiga. Esa misma noche nos fuimos juntos y no paramos de coger hasta el otro día. Imposible despegarnos. Una semana después conocí a sus hijas. De inmediato pasé a ser la mujer del padre. Hasta que apareció la fantasía de tener un hijo. Me entusiasmé, él también en un principio, después dio un paso atrás, tanto que terminó la relación. Él sabía que, en determinado momento, mi deseo de ser madre iba a ser muy fuerte, y él nunca iba a estar dispuesto.

Pero yo no quería separarme. Le confesé que por amor a él podía olvidarme de tener hijos.

—*¿Te sorprendió tu elección?*

—No era madre, así que no tenía idea de lo que me perdía, aunque sí había estado enamorada, y no estaba para abandonar esta historia. Pero Horacio reaccionó muy duramente, me decía que estaba loca. No tuve otra que aceptarlo. El dolor fue tremendo, no entendía, si nos amábamos. Estuve un año hecha mierda. Ya había estado de novia, pero de pendeja; después tuve parejas, pero nada serio. Además, ya era una mina grande y Horacio fue lo primero que se acercó bastante a lo que es una construcción de pareja y de familia. Horacio fue importante, me plantó en mi deseo de ser madre.

Seis meses después de esta separación, su amiga Alma sugiere que se encuentre con un conocido suyo de la infancia porque "son tal para cual". Fracasa.

—Yo todavía estaba de duelo, prefería curtir con un pendejo de diecinueve y cagarme de risa. Un año después, le aviso a mi amiga que ya estoy en condiciones de "merecer". Vuelve a mencionarme a este pibe, Gastón, y esta vez acepto que me lo presente, bah, que le dé mi teléfono. Se comunicó conmigo al otro día, me invitó a cenar. Pretendía que nos encontráramos en un punto medio. Yo había hecho de todo, pero estaba en otra. "No sé dónde estás, pero yo vivo en Vicente López, si no podés pasar a buscarme; empezamos mal". Pasó a buscarme, se perdió, pero llegó. Cuando lo vi no sé si me pareció lindo, no sé si me atrajo. Debió ser atracción, supongo. Abrí la puerta y me gustó.

Según Alma, los dos estábamos a "punto caramelo". Ella no era muy amiga de él, lo suyo fue pura intuición; en cambio, a mí sí me conocía mucho. Tenía razón, éramos parecidos, los mismos intereses, la misma sensibilidad. Además, él se había separado hacía seis años, tenía un hijo y ganas de tener más.

A Gastón lo conocí a los treinta y nueve. A esa edad, la elección fue totalmente distinta. Estaba eligiendo un hombre que estuviera bien plantado, que tuviera claro su deseo con respecto a una mujer, con respecto a cómo vivir.

—*¿Qué celebraste con tus cuarenta?*

—Si hubiera estado con Horacio me hubiera sentido insatisfecha, súper triste, porque era una pareja sin proyección. No es lo mismo cumplir cuarenta con el proyecto de un hijo y saber que es posible y que va a estar todo bien, a cumplirlos con una pareja dónde esto no puede ser.

Las alternativas se desvían hacia un pensamiento elaborado. Anclado y único.

—En la Argentina, hay una cosa instalada de que lo más importante es el hijo, bastante hincha pelotas, pero si vos no estás bien, ¿qué vas a darle? Mierda. Además, a una mujer que tiene poco desarrollo personal, lo mejor que le puede pasar es criar hijos, porque es lo único que puede. Crear es muy lindo y más si vos nunca creaste nada, ni siquiera a vos misma, porque no desarrollaste tu creatividad, tu cabeza, tu energía, lo que fuera.

La otra vez lo discutí con una amiga y también se lo he dicho a Gastón: amo y necesito mucho a Milo, pero necesito más a la pareja, al amor del papá de Milo. No me pasa que mi hijo me atrape y me ciegue absolutamente. Me siento repartida, necesito de todos los ingredientes.

Será porque yo sentí que era todo para mi vieja hasta que intentó suicidarse. Pero cómo, ¿nosotros somos lo más importante y te querés matar? Dale, te chupamos un huevo. Primero estas vos, no te la bancás, y querés matarte.

La escondida.

—A mis dieciséis, la vieja hace tres intentos de suicidio. De repente, le apareció el Mister Hyde. Estaba totalmente deprimida, no quería vivir, lloraba. Sus intentos de suicidio me produjeron una sensación de engaño absoluto, de abandono. Cuando apareció ese lado oculto, todo cambió. Yo era la única de sus hijos que no la necesitaba, esto la deprimía; yo era una hija de puta y ella se quería matar.

Antes no me daba cuenta dónde estaba lo oscuro, apareció de golpe.

—*¿Tu padre?*

—Tomó distancia, se hizo el boludo, siguió con sus cosas. A los pocos años, se separaron. Mi viejo tiene cosas alucinantes, pero nuestro vínculo se empobreció muchísimo, se fue muriendo. No le pido nada porque sé que no me puede dar nada, prefiere seguir tranquilo. Sé que está, pero él hace su vida, yo la mía. Si nos cruzamos, bien. Es imposible penetrarlo, está siempre defendiéndose.

—*Cuando Valeria adoleció.*

—No era fácil. Por un lado, mi viejo era cariñoso y protector. Estaba presente, nos daba todo. Al mismo tiempo, generaba miedo. Yo le hacía bastante el "ole" porque veía a mi hermana mayor enfrentándolo y le iba mal, de hecho fue la más golpeada, no llegó a quebrarle nada, pero siempre estaba llena de moretones. En cambio yo, cuando podía, disparaba; y, si me quedaba en casa, atacaba la heladera. Era la única libertad que tenía. Un horror. En ningún momento sentí que no me quisiera, pensaba que ésa era su forma de ser, lo justificaba. Quizá hubiera sido más sano si me hubiese revelado, pero jamás; era bajar la cabeza para que no me pegara. Imagino que eso era lo que me dejaba seguir queriéndolo y sentirme querida. Me llevó mucho tiempo dejar de justificarlo. Y la vieja gritaba, al pedo, porque no lograba un carajo. No se imponía. Eso sí, a ella no la tocaba.

De grande le reclamé que no nos hubiera defendido, a nosotras nos daba miedo, pero ella era una mujer grande. Además era mi papá, tenía todo el poder. Cuando se separaron, mi vieja le dio su plata para que se la manejara. Mi viejo fundió y cagó todo. Siempre le permitió cualquier cosa.

Me fui apenas pude. A los veintitrés, viajé a Nueva York de vacaciones y nunca volví. Mi vieja fue a buscarme pero, obviamente, se vino sola. Mis hermanas todavía no se habían ido de casa y yo ya estaba allá. Fui la primera en irme, la primera en tener relaciones sexuales. A los diecinueve años, me puse un diu y empecé a hacer la mía: salir y coger con libertad. Me buscaba tipos que no vivieran con su familia.

—*Sospecho resabios de aquellos dolores.*

—Me puede doler que haya muerto el papá de Gastón que, por lo que cuentan, era un tipo alucinante que disfrutaba de conversar con sus nietos, pero de mi viejo no esperaba nada bueno. Ni con respecto a mí ni con respecto a mi hijo; tengo sobrinos, sé cómo es la cosa. En cambio, mi vieja está alucinada con Milo, viene a visitarme y, cuando voy a verla, lo mima mucho. Ella es bien mamá. Tiene una adoración y un instinto con los bebés, les habla, los acaricia y los limpia como una loba, maravilloso. Se le complica después, cuando los chicos crecen. Se pone rígida: "tenés que comer, tenés que…". Capaz que a mí me pase lo mismo, no lo sé.

Desviar la mirada de Valeria y su sonrisa desplegada hacia la pena me lleva a imágenes evidentemente suyas; enmarcadas, y vistiendo paredes.

—Mis cuadros están repletos de imágenes de mi primera infancia; momentos de mucho placer y soledad. La mayor parte de ese tiempo la pasaba trepada a los árboles en la casa de mi abuela, también en la mía. Fabricaba mi mundo ahí arriba, el árbol era mi casa, mi amigo, era todo para mí.

Pueden verse zapatos de abuela: o están en el aire o vuelan. Hay flores y sangre.

—La Tota tenía canteros de rosas y de conejitos, mi madre también ama las flores. El fuego que aparece tendrá que ver con el calor, no sé con qué tendrá que ver, lo único que sé es que son imágenes de mi niñez, mezclando el calorcito de mi abuela con la tragedia.

—*¿No más hijos?*

—Hubo un momento, Milo tendría nueve meses, que empecé a flashear con los bebés chiquititos, la dependencia absoluta, y puse en la puerta de la heladera la foto del primer día tomando la teta que me sacó Gastón. Acto seguido me puse un diu. Aunque me tentaba la idea, no quería quedarme embarazada, ni en pedo. Implicaría más tiempo de no hacer cosas de pareja. Lo nuestro fue medio delirio. Hace sólo dos años y medio que vivimos juntos y tenemos un hijo de un año. Empezamos al revés. Él hace muchas giras por el interior; como me embaracé al toque de conocernos, no pude acompañarlo, para nada. Y, en estos momentos, movernos los tres es un bolonqui; hay que llevar la practicuna, hay que pensar en los mosquitos... aunque en algún lugar me queda la añoranza de tener una hija, porque es otra historia, desde la ropa que le ponés hasta cómo te imita. Lo gracioso es que cuando era chiquita no quería saber nada de nenas, será que hoy el ser mujer no es problema.

Un año después habrá espacio para el desencuentro: él concluyéndose en sus dos hijos, ella con ganas de más.

—Cuando empecé a coger de pendeja, moría si quedaba embarazada. Tampoco hubiera podido ser mamá a los veinticinco ni a los treinta. No tenía la menor idea de qué quería ni de quién era, menos iba a poder sostener a un bebé. A mí me pasó en un momento dado que me desconecté y dejé de crear, en todo sentido; no podía crear una pareja ni una familia ni una pintura. No me veías deprimida porque trabajaba todo el día, iba y venía, salía con tipos; pero la esencia mía no estaba produciendo y conectada, sobrevivía con lo mínimo indispensable. Ahí no había creación, porque para crear tenés que poner muchas cosas en funcionamiento. Pero hice un laburo de terapia muy importante... no sé con qué tuvo que ver, la cuestión es que a partir de ahí, pude volver a crear y a conectarme con un hombre capaz de construir, y volví a pintar y armé una familia y nació Milo. Ya no es una ocupación saber quién soy. Qué loco, como si para su nacimiento me hubiera ocupado de poner las fichas en su lugar.

—*¿Y mañana?*

—Me va mejor desde que no fuerzo las cosas, desde que no invento castillos de colores.

—*¿Qué parió Milo?*

—La femineidad, absolutamente. El poder *ser.* Y que el hijo no sea un objeto; si no, es más de lo mismo. Lo copado es dejarte querer y quererlo, no usarlo como un arma de poder o para llenar tu vacío. La imagen que se me aparece es la de un cuenco.

—*Como en el parto.*

—Impresionante. Volvemos a empezar.

Otro cuadro va siendo pintado, puede verse. Será memoria y testigo. La hará recordar.

Mónica

"Aprendí todo siendo madre,
aprendí que nada es tan grave
ni tan maravilloso".

Esta historia supone el peor de los finales: por cruel y definitivo. Diez años de maternidad condicionados por una enfermedad tremenda que pudo habérselas llevado a ambas: madre e hija. Sin embargo, Mónica recuerda hoy a la pequeña Julia en paz y amorosamente; reconoce un antes y un después del infierno que no fue el supuesto, sino otro, el propio. Un infierno que posiblemente hubiera quedado sepultado de no haber sido por este tránsito que, diecisiete años después, se reimprime así:

Domingo 11 de julio de 1987. En un departamento del barrio de Belgrano, duermen en un cuarto Mónica y José; en otro Julia, de diez años. El aire caliente presiona en cada rincón, empequeñeciéndolos; en cambio, deja huérfanos los pasillos, la cocina, el living y el baño. Amanece en Buenos Aires.

8 hs:

Julia gime. Se aferra a los barrotes de la cuna y llama a su mamá. José, recostado sobre la espalda morena y desnuda y lisa de su mujer, no escucha. Nada tarda ella en abandonar su cama –los gemidos son ahora alaridos– levantar la persiana, correr la cortina y dejar que entre el sol nuevo y generoso del invierno. Mónica, aún con los ojos entrecerrados y los labios tomados por el sueño, canta; cualquier cosa, pero canta. Julia sonríe y, atenta al andar de su madre que se aleja, mantiene la calma; sabe que se fue para volver.

8.15 hs:

Mónica va descalza hasta la cocina que queda ahí nomás. Abre la puerta de la alacena, elige tres remedios ubicados en el estante de siempre, los primeros del día. Después de triturarlos en una cuchara tan fría como la cocina que el sol olvidó, los ubica sobre la bandeja junto al vaso con agua y una servilleta azul. Vuelve al cuarto. Alza el cuerpo de un metro y diez centímetros de su hija. La sienta sobre sus piernas, sostiene la cabeza contra su hombro, un cuerpo contra otro cuerpo; con la otra mano, toma la cuchara y la introduce bien adentro. Primero el anticonvulsivo, después el remedio que evita el reflujo estomacal. Se miran cuatro ojos negros.

8.40 hs:

Tras acomodar a Julia en la cama, Mónica encara la cocina y el desayuno. Prende las hornallas, se acomoda a este calorcito nuevo aunque sigue ensimismada por el frío y se encoge espasmódicamente. Habituada, no se inmuta. Elige para la hija un yogur hecho en casa y, para ellos, mate y tostadas. Despierta a José por su nombre. Recoge a Julia y la carga hasta la cocina. Desayunan los tres. Mónica sienta a la pequeña bien erguida, la alimenta con una cuchara especial que permite llegar hasta el fondo de su garganta. El yogur podría ir al pulmón y causarle infección o ahogo. Y podría morir en un ahogo. Pero nada de eso sucede. Escupe de vez en cuando y de vuelta a limpiar todo. Mónica está más que acostumbrada. Es rutina. La comida es el momento que Julia más disfruta. Tiene a su madre para ella, y a José. Ellos hablan, se miran, la miran. Son los tres juntos.

9.40 hs:

Después del desayuno, el provechito, si no, podría convulsionar. Las manos de esta madre masajean la panza de nena con ombligo para afuera; buena ayuda.

11 hs:

Mónica llena la bañadera de agua templada, nunca hasta arriba. Desnuda a Julia en su cuarto, en la cama ahora sin barrotes. Se internan en el baño y el vapor; la madre sumerge el cuerpito blando, la cabeza hacia atrás. Con una mano, la sostiene; con la otra, enjuaga el pelo largo y negro. Julia está incómoda y a disgusto, pero se deja. Como se entrega al cepillado de dientes después del baño. Claro, descubrió qué rica es la pasta dental y muerde el cepillo, se entusiasma. Los retos de su madre obtienen poco y nada porque la conoce caprichosa, porque no es grave. Ahora sí aparece José con un toallón blanco abierto de par en par. Mónica levanta el cuerpo mojado y él lo envuelve, lo arropa y lo abraza y lo besa. Julia sonríe. Cuando está con ellos, sonríe. José la carga hasta su cuarto, de nuevo a la cama. Deja a la madre y a la hija encantadas con su próximo ritual: el peinado. Mónica se ubica detrás de la cabecera de la cama, frente a la melena que cae. Desenreda el pelo largo y grueso una y otra vez. Primero con los dedos, después con un peine naranja de dientes gruesos. Lleva tiempo peinarla; se lo toma, se lo da. Ya con la melena moldeada en una colita, la hija aguarda a que su madre la vista; pantalón, una remera de manga larga blanca, un buzo azul y medias de lana. Se deja cambiar, no ayuda –no puede–; mientras, su mirada recorre una y otra vez el único cuarto de su vida.

11.30 hs:

Acomoda a su hija en el living, en una hamaca de mimbre detrás del vidrio y del sol; la niña, cansada, dormita. Es el turno de Mónica que se da un baño, elige ropa nueva, se peina, habla por teléfono. Lo que sea, pero para ella.

12.30 hs:

Julia abre la boca para recibir otra medicación en la cuchara que la madre introduce hasta el fondo de su garganta. El sol, más a pleno. Molesta tanto brillo.

13 hs:

Él acerca a la mesa los dos vasos que faltan y una botella de vino tinto abierta. Ella levanta a Julia de la silla que se hamaca al sol, la sienta a upa y la alimenta con una mano, con la otra come como puede. Aunque la práctica de diez años de siempre lo mismo le permitió desarrollar una gran habilidad para hacer todo con una mano, pues la otra debe abastecer a Julia, como si le perteneciera. La pequeña saborea carne al horno cortada diminutamente que preparó Leonor, la mujer que la cuida durante la semana. Ellos comen fideos con salsa rosa que preparó José.

14.40 hs:

La madre masajea la panza de su hija con el ombligo para afuera.

15 hs:

Julia descansa en el sillón del living junto a José que mira televisión. Se acurruca como un bebé que huele dulce.

16 hs:

El sol a pleno. Juntos acomodan a Julia en la silla ortopédica. Atan su cuerpo a la estructura de hierro que la sostiene erguida. Julia sabe que va a pasear, festeja con otra sonrisa. Adora el aire caliente en la piel. Pocas cuadras hasta el Parque Rivadavia. José empuja la silla preparada para una ciudad mejor, lo enfurece que sólo en este parque se pueda circular cómodamente. Porque hay espacio, hay juegos, hay chicos y miradas indiscretas. Pero la pareja mira hacia adelante y conversa, se aíslan amparados por anteojos negros y una resistencia inevitable.

17 hs:

De vuelta al departamento que tanto conocen. Restos de sol disimulan el frío que comienza a filtrarse por las ranuras que este departamento viejo reconoce como propias. Julia, todavía en la silla ortopédica, traga los remedios en la cuchara larga. Hasta que José la desata; un flan de dulce de leche sobre las piernas de mamá.

17.40 hs:

Masajes en la panza.

18 hs:

Mate para los dos. Y otra vez en el sillón de tres cuerpos; un rato a upa de uno, a upa de otro.

19.30 hs:

Mónica estira su brazo por sobre la mesada de la cocina, abre la puerta de la alacena y, por tercera vez, elige los medicamentos. Los tritura en la cuchara larga que siempre está usándose o secándose en el lavaplatos. La apoya sobre la bandeja azul, junto al vaso de agua. Se acerca hasta Julia que, ensimismada en José, acepta su dosis diaria. Sabe de qué se trata. Es su vida. Ha sido siempre así.

20 hs:

La pareja se sienta a la mesa: fiambre, pan y quesos ricos en platos sobre los individuales que están ahí desde el mediodía. Julia saborea fideos de espinaca con crema de la mano de su madre; que come con lo que le queda de cuerpo. Y de cabeza. La radio sintoniza una estación que sólo transmite rock nacional.

21 hs:

Masajea la panza de su hija. La carga hasta el baño, le cepilla los dientes con la dificultad acostumbrada; la predilección de Julia por la pasta dental las distrae a las dos. Ya en la cama, que después será cuna con barrotes, la despoja de la ropa; arroja lo sucio en un canasto alejado; acierta. José la mantiene erguida mientras Mónica desliza el camisón en el cuerpo blando. Un beso del hombre de la casa en esa frente que, con el pelo suelto, se hace chiquita. La madre recuesta a la hija. La mira, acaricia sus mejillas entregadas a más sonrisas, cuando no a las lágrimas. También a ella le encantaría recostarse a descansar, sabe que no puede. Falta.

21.15 hs:

Julia sólo concilia el sueño en brazos de su madre que –como todos las noches– la carga hasta el living. Por lo menos se distrae viendo una película. El sueño se hace desear. Julia se queja con cada cambio de postura que, lejos de relajarla, la incomoda. Finalmente, cierra los ojos. Por unas horas.

3 hs:

Se despierta con convulsiones, se balancea hacia delante y hacia atrás. Mónica la abraza fuerte. El ataque es leve, acaba pronto. Se abrazan hasta que la hija conquista el sueño. La madre se queda a su lado, quieta; dormita hasta que vuelve a la cama y a José. Ya no piensa.

5 hs:

Escucha a Julia contra los barrotes; otra convulsión leve. Mientras una convulsiona, la otra acompaña y sujeta; no hay mucho más que hacer. A upa de mamá nuevamente. Y a dormir. Por fin.

8 hs:

Se escuchan gemidos, pero es lunes y todo cambia porque Leonor se ocupa; Mónica y José se van a trabajar para volver de noche. Hasta el sábado que son los tres solos. Tantos años así.

Pero siempre estará

Apenas la recordaba: morena, de bucles largos y cuerpo firme. Vamos juntas hasta el primer piso por escaleras. Mónica quiebra la extrañeza del reencuentro. Relativiza el paso de un tiempo que se tajea frente al desconsuelo. Deja entrever la bondad de estos últimos años cuando ya trepamos diez escalones para estar ahí, junto a José que saluda, nos invita a pasar y se va. Nos quedamos a solas saboreando mate tibio, no importa. La intimidad, esquiva; somos claramente lados opuestos del querer saber y el querer contar. Acomodo el grabador entre nosotras. Mónica acepta esta condición, aunque falta Julia, dice, y desaparece en busca de dos fotos enmarcadas en plástico que ubica sobre la mesa. Imágenes de Julia y ella, Julia y José; y yo que miro de reojo. Después me animo y entrego mi atención: la pequeña se ve absolutamente apoyada en ellos dos, la dolencia ocupa su cuerpo, en cambio la mirada y la sonrisa se abren ante el horror. He visto a chicos así, amarrados a sillas de ruedas. Ignorar sus nombres los convertía sólo en víctimas de una enfermedad. En cambio, hoy conozco a Julia. Me esfuerzo por no sentir pena.

—Sólo una madre es capaz de comprender a otra. Lo veo en las actrices compañeras de José cuando tienen que actuar un parto. Aunque sean muy buenas profesionales, si hay una experiencia imposible de imaginar, es la maternidad. El amor que se siente por un hijo es absolutamente incondicional. A pesar de las contradicciones, de los miedos, de las dudas, de la pérdida de libertad, de las puteadas, que también están: la madre no puede correrse, aunque quiera.

Hoy entiendo que la maternidad tiene que ver con el amor; en algún momento creí que tenía que ver con la responsabilidad solamente. Al menos ésta fue mi experiencia.

Mónica crece en Neuquén, su ciudad querida; donde intima con quien será marido y padre (ausente) de su hija Julia.

—A los veintiuno empezamos a salir, un año después nos casamos, nos vinimos a Buenos Aires y enseguida quedé embarazada. Lo normal, aunque los últimos días ya estaba pensando en separarme. Me costaba tolerar lo que no era cierto. Raúl no fue una mala elección, transité algo que necesitaba, pero no era el amor de pareja. Empecé a darme cuenta de esas cosas y de repente rompí bolsa. Me internaron para hacerme una cesárea al otro día porque no tenía dilatación. Era domingo, me acuerdo porque tengo la cara de Sofovich torturándome la cabeza. Esa noche se fueron todos del hospital, hasta Raúl. Era así, la relación no daba y a mí me resultaba indiferente si se quedaba o se iba. A la una y media de la mañana empecé a pujar, la enfermera me pedía que aguantara, pero no podía. Juli nació casi entrando al quirófano, por parto natural. Me anestesiaron en los últimos pujos porque la cabecita había quedado trabada. El dolor físico era intenso, pero duraba poco, fue soportable. Lo que más recuerdo del parto fue lo triste que estaba por haber llegado tan sola.

Empecé a hacer terapia antes de casarme, sentía que había algo que no estaba bien, esperaba que la terapia me ayudara a darme cuenta. No funcionó, evidentemente.

—*¿Por qué te casaste?*

—Por mandato, porque había que casarse. Traté de armar una familia; tener a alguien con quien compartir y en quien apoyarme. Pero hoy podría decir que elegí aquello para seguir estando sola, de a dos, pero sola. Lo peor. No me involucré; podía irme cuando quisiera, total, no había nada que perder. Si yo hubiese atendido a mi deseo no me hubiera casado. Hubiera estudiado licenciatura de turismo, pero, cuando me casé, largué todo. Es complicado. Todavía me cuesta, no sólo concretar, sino descubrir cuál es mi verdadero deseo. Actuar por obligación me sale de taquito; hacer lo que sea para agradar, también, pero me trae una gran disconformidad. También es miedo al disfrute, una sensación no muy conocida por mí.

Doña Hilda enviudó a los cuarenta años de un marido que la creyó menopáusica; la menopausia se llamó Mónica. Doña Hilda la parió y se enfermó de meningitis. Sus otros dos hijos, de diecisiete y diecinueve años, fueron internados en colegios pupilos. Era costumbre.

—Mientras mi madre estaba hospitalizada en Buenos Aires, yo yiraba por la casa de diferentes tíos que vivían en Neuquén. Apenas recuerdo esa época; sé que dormía en un cuarto chiquito y que estaba mucho tiempo sola; sé que mi gran preocupación era quién me iba a peinar. Aprendí a hacerme un moño de cordones hace dos años. Trataba de arreglármelas como podía para no joder, para agradar. También tengo registro del miedo a la oscuridad. Pero de día era otra: payasa y extrovertida. Al menos, así aparezco en las fotos. Mi tío me cuenta que yo era así. Creo que todavía me quiere por la nena que fui. No sé en qué momento cambié.

—*De su madre, ¿nada sabía?*

—No creí que me estuviera perdiendo de algo. En realidad, no era hija de nadie.

A los tres años, la vuelta a casa.

—Me llevó mi abuela, sin ninguna anticipación. Mamá esperaba en Buenos Aires. Parece que yo quería volver con mi otra mamá, y lloraba. Claro, era la única que conocía. Del primer día que la vi no recuerdo nada. Y nunca pregunté. Ella vivía en un cuarto de hotel, todavía estaba en tratamiento. Nos quedamos varios meses en Buenos Aires. Tengo entendido que me mandaron a una guardería para que no me aburriera tanto.

—*¿Cuándo se da cuenta de que su mamá es su mamá?*

—Volvimos a Neuquén. A ese día lo recuerdo bien. Entré a corretear por todos lados. No sé si estaba contenta por estar con mi madre, sé que me hacía feliz tener una casa donde jugar. Ella tenía que guardar reposo porque después de curarse de la meningitis tuvo tuberculosis, y la habían operado de los huesos. Yo hacia lío a su alrededor; sabía que, enyesada e inmóvil, no podía ni darme un coscorrón.

Mamá era una mujer muy fría, no daba besos. Mi abuela era igual, aunque un poco más extrovertida.

Mónica, de doce años, va a la escuela primaria con alpargatas rotas. Pide a su madre unas nuevas; ella sugiere que enfrente a los tíos por más dinero, ya que ellos distribuían las ganancias del campo familiar. Mónica lo hace; lo logra. Pasan cuarenta años. Mónica todavía pide/actúa por ella.

—Fue bravo. No me hacia pis en la cama, pero me hacía pis en la escuela. Mi problema era que no me animaba a pedir permiso para ir al baño, entonces me meaba y era muchísimo peor. Me mandaban a casa con la bombacha y las piernas mojadas para que me cambiara de ropa y volviera a la escuela. Mi vieja me decía "Ah… ¿te measte? cambiate y andate". Siempre me las arreglé sola. El primer día de clase no quise que nadie me acompañara. Tenía esta cosa de "yo puedo", era lo aprendido. A mi hermana la empecé a ver cuando tenía cuatro años. Ella era maestra y me enseñó a leer siendo muy chica, ése fue mi gran refugio.

Mi otro refugio fue la mamadera, era adicta; la largué recién a los seis años, sabiendo leer y escribir. Me acuerdo que era desesperación. Apenas me despertaba, mi abuela, que se levantaba a las seis –siempre al pedo pero temprano la vieja– me la traía a la cama. Era muy placentera la sensación de estar tomándola, calentita, como un abrigo.

Los recuerdos no la sorprenden por repetidos hasta el cansancio en más de veinte años de psicoanálisis, terapias grupales y corporales. Es el mismo tono con el que nombra la enfermedad, en principio. Después aparece Julia.

—Me había hecho el genético, pero según me explicaron, su enfermedad es neurológica, y no es heredada sino congénita. Es una epilepsia generalizada en la corteza cerebral. El problema de los chicos con esta patología es que su sistema nervioso no manda mensajes al cuerpo para que accione, entonces no pueden manejarlo, son incapaces de sostener la cabeza, de masticar, de hablar, de hacer caca. Todo esto, con los años, les va trayendo un montón de complicaciones, porque el aparato digestivo tampoco responde, entonces la comida, en vez de ir al estómago, va al pulmón y genera infecciones que pueden producir pulmonía. La enfermedad se manifestó recién a sus cuatro meses de vida con una convulsión. Estaba en mis manos, cambiadita, recién bañada; fue un shock. Salí corriendo al hospital. Cuando llegué, la convulsión había pasado. Le punzaron la médula para descartar que tuviera meningitis. Cuando diagnosticaron su enfermedad, me acompañaba el papá de Julia, aunque para mí era lo mismo, me sentía sola.

El encuentro con los neurólogos fue muy difícil. Me dijeron que Julia iba a ser un bebé el tiempo que viviera; que su promedio de vida sería de cuatro o cinco años.

Y Mónica aprendió que podía olvidarse de comer, de dormir. Se quedó junto a la cama de su hija. Estática. Los días transcurrían y no era capaz de darse cuenta si estaba triste o angustiada. Estaba; hacía lo debido. De tener leche de sobra para amamantar, se quedó –en el acto– sin nada.

Transcurrió un tiempo del que nunca tuvo registro. No sabe si pasó una semana o un mes.

—Lo bueno es que al principio uno no piensa, no te da el tiempo. Cuando volvimos a casa, no dormía, ni de día ni de noche. Trabajaba en una empresa como secretaria ejecutiva y me re-bancaron. Tuve suerte. El padre, nada. Siempre me mantuve sola. Mi madre dejó la casa de Neuquén y se vino a vivir con nosotras, me ayudó mucho. Julia se despertaba con convulsiones. Las convulsiones no pueden ser muy largas –si duran tres minutos, es una eternidad–. Tuve que aprender a darle goteo exacto de Valium abajo de la lengua en el momento en que estaba convulsionando, para que parara. Los primeros meses era todo el tiempo una cosa nueva. Aprovechaba cuando se dormía un rato para descansar.

No sé si hoy podría volver a soportar tanta angustia. No me darían ni el cuerpo ni el corazón.

Visualizo la tragedia; me gustaría reescribir un final feliz. Absurdo.

El recuerdo más terrible que tengo del principio es el de estar todo el tiempo escuchándola para saber si respiraba; me generaba pánico ir hasta su cuna, creía que en cualquier momento se moriría. En ese tránsito, una mañana quise levantarme de la cama, no pude. Estuve una semana paralítica hasta que me recuperé y empecé terapia. Sólo así pude empezar a convivir con su enfermedad. Hasta que me di cuenta, lo único que deseaba era irme del planeta y que otro se hiciera cargo. No la veía como a una nena o como a mi hija; Julia *era* una patología.

Me quedé con ella full time hasta que cumplió nueve meses. Interminables para mí; fue el tiempo que me llevó entender que, antes de ser una enfermedad, Julia era una personita y que ésta era mi oportunidad para disfrutarla el tiempo que fuera, no importaba cuánto.

Al principio me enojé, sentí que me había defraudado, como mi madre. Por esto de recibir mucho amor pero sólo a cambio de resolverle la vida, de hacerme cargo.

La razón ordenando tanto caos y dolor.

—En aquella época, además de trabajar en la empresa, daba clases en un gimnasio como profesora de yoga. Al año de nacer Juli, empecé con alumnos particulares. Para cumplir con los dos trabajos me iba a las ocho de la mañana y volvía a las diez de la noche. Entre una cosa y la otra, me acostaba a las dos y me levantaba a las seis, para desayunar con Julia.

—*¿Julia era consciente de su enfermedad?*

—Se daba cuenta de algunas cosas, pero desde la percepción, como si fuese un bebé; intelectualmente nada, era la pureza. Había personas con las que no tenía onda: cerraba los ojos, se ponía dura y arqueaba la columna hacia atrás hasta que la dejaban tranquila. Esto le hacía a su papá las pocas veces que lo vio. En cambio, con José tuvo siempre un vínculo maravilloso.

Los demás como solubles, como disueltos, como la nada. Hasta no verlos.

—Los chicos querían saber qué le pasaba a la nena en silla de ruedas. Al principio, yo estaba atenta a los comentarios, pero muy pronto empezaron a no importarme. La llevaba a todos lados, viajaba con ella en colectivo y, si hacía una convulsión, la sostenía con mis brazos y le daba besos; sabía que se le iba a pasar. Pero para la gente es fuerte ver que una nena tiene un ataque y la madre lo toma con calma.

Es más, hasta el día de hoy, José me reprocha que, siendo amigos, no le hubiera anticipado nada. Claro, yo lo entiendo, pasa que yo no hablaba del estado de Julia. Era parte de mi normalidad.

José era uno más del grupo, salían a divertirse.

—La nuestra no fue una gran atracción sexual, no fue un amor que irrumpió; se fue dando de a poco, empezamos siendo amigos. Además, él tenía veintitrés y yo veintiocho, había mucha diferencia. Una noche cayó en casa, de sorpresa. Yo estaba con gente. Nos presentamos. Julia, sentada en su silla. Él no dijo nada, le dio un beso, la levantó y le hizo upa; ella se quedó lo más bien. A partir de ahí nació su propio vínculo. Después, cuando volvimos a encontrarnos, quiso saber sobre su enfermedad y le expliqué. Hasta que una noche me invitó a salir, yo ya había empezado a entusiasmarme. Pero, como tantas otra veces, Julia tenía fiebre, entonces lo llamé para suspender la salida. Él propuso acompañarme. Un pibe tan joven que tuviera esa actitud... no podía creerlo. Estuvimos toda la noche bajándole la temperatura en la bañadera, poniéndole pañitos fríos y tomando mate. Ese verano fuimos juntos a Neuquén, a la casa de mi vieja. Como él tenía que volverse antes y estaba sin un mango, le ofrecí mi casa. Nunca se fue; recién entonces mi vieja dejó de vivir con nosotros y volvió a instalarse en Neuquén.

Casi sin planearlo, José, Juli y yo terminamos juntos. Con él pude abrirme y conectarme. Me tuvo una paciencia enorme, me conoció a pesar de mi resistencia. Con el tiempo se fue dando el vínculo más sano que he tenido en mi vida.

—*¿Paciencia?*

—Paciencia para que me entregara; paciencia en la cama; paciencia en el momento en que no podía ser otra cosa que madre. Durante la semana, tenía que trabajar para abastecer la casa y pagarle un sueldazo a la chica que la cuidaba, y los fines de semana me ocupaba de ella, personalmente. Tenía mucha cosa encima. José me ayudó muchísimo. Por primera vez no me sentí sola. Me abrazaba cuando me agarraban ataques de pánico, de no saber qué hacer. Él siempre estaba ahí. Era lo único que le pedía. Además, veía que realmente amaba a Julia; era tener un compañero de verdad.

Pero no fue casual que nos juntáramos. Él es rosarino, se vino a Buenos Aires a vivir a un banco de plaza, sólo sabía que quería actuar. Trabajó de cadete y de mozo mientras escribía su unipersonal. Le costaba armarlo; se lo produje. Fue un momento duro. Yo había dejado mi puesto de secretaria, trabajaba en dos gimnasios y además daba clases particulares de yoga. Apenas me alcanzaba para bancar la casa y pagarle a Leonor. Vivíamos con lo justo, a veces ni eso.

Mónica, José y Julia pasaban sus vacaciones en la casa de doña Hilda. Viajaban en colectivo durante veintidós horas, Julia a upa de mamá. Era complicado. Había que darle las pastillas deshechas en agua, tres veces por día, entre otras cosas.

—Pero valía la pena el esfuerzo, porque ella amaba la naturaleza. Yo la llevaba a los lagos, nos quedábamos en la orillita. Nos metíamos en el agua si no estaba muy fría; la subía a mi cuerpo y nos quedábamos horas ahí tiradas. Julia adoraba sentir el sol en la piel. Además, tenía un vínculo alucinante con los animales, le encantaba que estuviesen cerca. Disfrutábamos muchísimo.

Sus juguetes: momentos gratos a la vera del dolor. Impermeables al puñal de un tiempo determinado/sentenciado.

—Yo sentía paz y alegría. Era saber que había entendido y que era capaz de darle lo que necesitaba. Hubo momentos tan placenteros. Y los momentos de enfermedad eran tremendamente angustiantes. Todo era "muy", nada a medias. Julia demandaba presencia todo el tiempo. Si la dejaba y me iba al otro cuarto, armaba un escándalo. Y que los juegos tuvieran que ver con el contacto físico, con las caricias. Ella contactaba únicamente con las sensaciones. Mirándola, aprendí cuáles son las necesidades básicas de un ser humano, con esto ella era feliz. Y yo fui feliz satisfaciéndola. Apareció la madre que tenía adentro y que no sabía que existía; la que fui construyendo, porque no tuve referentes. Tampoco en otras mamás, Julia era distinta.

Todo lo aprendí siendo su madre. Ella me enseñó con su estar presente cada minuto. Julia sólo quería amor, se veía tan claramente. Fue un hallazgo.

A modo de rompecabezas, sus vidas fueron componiéndose, una al lado de la otra.

—Durante meses, la mandamos a un instituto, pero se cansaba. Los profesionales me sugirieron que era mejor dejarla en casa porque sobraba estimulación. Además, como tenía las defensas bajas, allí podía contagiarse de cualquier cosa. Y para nosotros también era un caos, porque teníamos que despertarnos a las cinco de la mañana, darle el desayuno durante una hora, para que comiera con tranquilidad. Después pasaba un transporte y, a las seis de la tarde, a buscarla; un quilombo. Sumado a las clases de foniatría, las sesiones de quinesiología.

Al principio me la pasaba llevándola a todos lados, hasta que aprendí y empecé a tratarla yo. Juli pasaba la mayor parte del tiempo en casa, con nosotros o con Leonor. Era mejor así.

—*¿Ambigüedades?*

—Constantemente. Cuando José hizo su primera obra no pude ir porque, para variar, Julia se enfermó. En esos momentos me daban ganas de irme a la mierda, me sentía presa, no entendía. Necesitaba hacer algo para mí pero no podía hacer otra cosa que ocuparme de ella y trabajar como una loca para darle lo necesario. Pero no me veías ni deprimida ni enojada. Me reprimía. Y en los momentos más terribles, realmente, deseaba que se muriera.

—*¿Por ella?*

—Por las dos, yo no podía con tanta angustia. Durante algunas de sus enfermedades, tuve ataques de pánico que no me pude dar el lujo de transitar porque tenía que atenderla. Siempre pienso que si tuviera que pasar por lo mismo, no podría. Y a la vez creo que sí, porque en esos momentos no pensás. No tenés opción.

—*Podrías no haberte hecho cargo.*

—No hubiese podido. No tolero las situaciones de abandono. Que alguien se ausente sin haberse muerto, me parece terrible, peor que la muerte. El tema de los desaparecidos me pone tremendamente mal.

—*¿Cómo se convive con la muerte, ahí nomás?*

—Para mí era costumbre, la muerte me ronda desde siempre. Nací cuando falleció mi viejo, mi hermana enviudó a los treinta y ocho años, mi abuela también. Ahora, cuando me enfrenté al hecho de que tenía una beba recién nacida que se iba a morir pronto, fue terrible, sobre todo el primer año. Después, la muerte pasó a ser una realidad en lo cotidiano. Cualquier día podía suceder. La terapia me ayudó a no perder más tiempo pensando en lo que vendría.

—¿Cuándo primó lo irremediable?

—¿Qué madre puede desear la muerte de una hija, por más tremendo que sea su estado? A una hija la salvás siempre. Sin embargo, la última vez que se pescó una neumonía, supe que no había vuelta. No sé por qué, siempre tuve la intuición de que viviría diez años. Esa última vez, como tantas otras, la llevé a la pediatra, nos dijo que no era para preocuparse. A la noche la vi peor. La interné en el Hospital Gutiérrez. Mientras viajábamos en el taxi, le dije a José, con una tranquilidad escalofriante, que de ésta no pasaba.

Estuvo veinte días internada, no mejoraba y nosotros nos negamos a que le pusieran respirador. Esto provocó pelea con los del hospital, porque hay profesionales que están a favor, otros en contra. Cuando vinieron los médicos y me dijeron que no había nada que hacer, salvo darle morfina para que no sufriera, lloré mucho. Creo que, en algún lugar, ella también sintió que no daba más. Si se reponía, iban a conectarle una mochila de oxígeno, y no iba a poder comer. Tremendo.

—¿Cómo la dejaste ir?

—Había fantaseado tantas veces con su muerte, pero fue distinto a todo. Absolutamente. Julia dormía desde hacía cuatro días, estábamos los tres. Cuando estuvo por morir, nos miramos José y yo, tomamos su mano y cantamos. Entonces dejó de respirar.

Por última vez, madre e hija de este lado del umbral.

—Creo que algo sucede cuando uno los deja ir, tal vez el otro se siente libre de poder partir. Es difícil de explicar y de creer, pero algo de eso hay. Yo sentí una paz increíble, y no esa tortura con la que había fantaseado.

—Pero la ausencia se le clavó. Irremediable.

—Ya no tenía razón de existir. Sin Julia me sentía sola, me faltaba. Mi mano no estaba para alimentarla, no tenía a quien escuchar por las noches, a quien abrazar tan así, tan de cuerpo a cuerpo. Julia murió, y yo me sentí mutilada…

—¿Se cruzó un "por qué a mí"?

—En lo absoluto. Desconozco el papel de víctima. Quizá, en algún lugar –esto lo puedo decir después de muchos años de terapia– sentía la culpa que genera haber tenido un hijo enfermo. Uno se siente responsable, aunque sea inconscientemente. Es inevitable.

—No sé cómo preguntarle si no hay peor cosa que la muerte de un hijo.

—Sería lo peor si la madre siente que no hizo lo suficiente. Yo di lo que pude y Julia la pasó bien, disfrutó, tuvo logros que eran muy difíciles para su patología, como el sonreír. Su sonrisa era el bálsamo a todos los sufrimientos. Y ella se reía a carcajadas. La comida era otro tema. A mí me habían sugerido que le pusiera un botón en la panza desde el año, para que no se le complicara la digestión, pero no quise, porque sabía que ése era su momento de placer. Aunque darle de comer llevara una eternidad, ella disfrutaba muchísimo, sobre todo de los dulces. Así y todo, pudo vivir diez años. También gozaba de la música, le gustaba que le cantara. La verdad es que tuvimos un vínculo alucinante. Ella vivió diez porque la quisimos y la cuidamos, solamente. Esto, dicho por los mismos médicos. A lo mejor lo que digo es una locura, pero a mí me sirve para sobrevivir.

No mucho tiempo después de su muerte, dejamos el departamento. Yo necesitaba un ámbito nuevo, uno que no me la recordara todo el tiempo. También cambié de analista; quería saber quién era yo. Tenía que aprender a gozar de la libertad que tanto había deseado.

—Y apareció una pasión desestimada de su adolescencia: las ganas de cantar.

—En realidad, surgió la necesidad de disfrutar, de darme cuenta de que estaba viva por mí misma y que no necesitaba tener a Julia ni a nadie para *ser.*

La crisis de pareja vino de inmediato. José siempre fue como un niño, le quedaba comodísimo ese lugar. Pero Julia ya no estaba para impulsarnos a hacer cualquier cosa y de cualquier manera. Ahora éramos él y yo. Y la verdad es que no me gustó lo que encontré, lo que habíamos generado como pareja; en realidad no habíamos construido nada, nos habíamos ido acomodando a través de los años. Sentí que teníamos que empezar de cero. Me costó muchísimo, porque esto de ser madre todopoderosa me sale bárbaro. Me apareció con Juli y él vino casi al mismo tiempo. José, al principio, no entendía. Pero como es un tipo con una gran intuición, cuando yo empecé a correrme, él empezó a modificar, lentamente. Hablamos de esta cuestión de "no quiero ocupar otro lugar que no sea el de tu compañera". Porque yo le resolvía absolutamente todo; en cambio, él se dedicaba a lo que le gustaba. A partir de esta crisis empecé a pensar qué quería yo.

Todo fue cambiando. Hace tres años que José actúa en la televisión, su ingreso es más importante que el mío. Por primera vez, puedo descansar en él.

—Y ¿por qué se la verá contrariada?

—No fue fácil dejarle el lugar de poder, todavía me cuesta. Pero lo hago porque me doy cuenta de que me estaba perdiendo de otra cosa que está buenísima, esto de aflojar y verlo a él en otro lugar, más de hombre. Darle un lugar diferente me permite a mí otro vínculo, y esto también se proyecta en la cama. Ahora estamos bastante mejor, tenemos relaciones con continuidad. Nosotros estuvimos mucho tiempo sin coger, fundamentalmente porque yo no tenía deseo, no se me cruzaba por la cabeza, ni con él ni con nadie. Julia murió hace siete años; bueno, recién hace dos que puedo empezar a hablar y a pensar en esas cosas, antes ni se me ocurría.

—*¿Nunca una queja?*

—Peleábamos, pero para mí era "lo tomás o lo dejás". La cuestión es que se quedó. En algún lugar, se juntan los rollos de los dos.

Cuando empecé a sentir insatisfacción por mi falta de deseo, apareció el conflicto. O sea, el deseo existía.

—*¿Dónde estaba?*

—Con Julia. Los primeros años me fui con ella, sentía culpa por seguir viva. Pude darme cuenta de esto con mi laburo en terapia y transitando mucha angustia. Me parece que la falta de deseo tiene que ver con que, cuando muere un hijo, uno muere también un poco. Y conectar con el deseo y con el hombre es una manera de estar vivo.

Tenía miedo. Ya no. Julia reparó mi corazón, y de qué manera. Fueron diez años de mucho amor, de conectarse con lo más profundo, con lo verdadero, porque ella era particular. Además de ser mi hija, era de una pureza que no se encuentra en ningún ser humano; puro amor, sin intelecto. Y yo meto la cabeza para todo. Siempre digo que Julia fue mi gran maestra y me dejó con un montón de quilombos: "Ahora resolvé. Dejate de joder y conectate con lo que sos. Disfrutá." Ésta fue su lección, con su manera de vincularse a pesar de todas las dificultades e inhibiciones.

Ser mamá siempre es una experiencia fuerte: sos una persona antes y otra después. No sé si mejor o peor, pero sos otra.

Y con José hemos crecido. Diría que, más allá de que algún día nos separemos, nuestro vínculo a nivel humano es indestructible. Y como pareja, después de tantas crisis, estamos encontrando un lugar parecido al estar de novios. Sorprenderse con subirnos al auto a las dos de la mañana y terminar en el medio del campo para ver la luna, cosas que nunca habíamos hecho. Hoy no tenemos rutina, está buenísimo, cada día va sucediendo. Con un hijo es difícil mantener una pareja, con Julia era imposible.

—Ella asegura por él; su historia es también la de los dos. La de los tres.

—Hubo un momento en que dudé en tener más hijos; era una insistencia desde el afuera, "que si dejaba pasar el tiempo, sería tarde". Y de repente me encontré con esa vorágine sin saber qué era lo que yo quería. Pero no tenía ganas, y José está convencido de que Julia cubrió su cuota de paternidad. Yo pienso que es el día a día. Hoy, con cuarenta y cinco años, no se me ocurriría. Aunque siempre está la posibilidad de adoptar, y no me disgusta. No veo la diferencia entre gestar y no gestar. Creo que el vínculo se construye, no es mágico.

La historia se revela tan de a poco.

—Yo aborté después de Julia, y no me da culpa. Sí, el haber llegado a esa situación sin haberlo querido. ¿Por qué necesité hacerme daño? Creo que se jugó el inconsciente, José necesitaba sentir que me tenía, y en ese momento la única opción fue dejarme embarazada. Julia tenía casi tres años; no quise, de ninguna manera. Y José me dio libertad para que hiciera lo que quisiera. Nunca dudé ni tuve que pensarlo. Hubiera sido de terror, pobre chico, lo que hubiera tenido que aguantar de mí como madre en esas condiciones. Lo salvé. Me salvé.

Por otro lado, nunca quise ser madre. Si no aborté mi primer embarazo fue porque los mandatos pesaban demasiado. Yo tenía veintiséis años y la presión de los que me impulsaban a ser mamá era tremenda. De hecho, cuando José y yo contamos que estamos juntos desde hace quince años, nos preguntan si tenemos hijos. Como si fuera obligatorio.

—¿Qué contestan?

—Que no. "Qué raro", piensan, "seguro que no pueden tener hijos". No se les ocurre que, a lo mejor, no queremos. Nadie se lo plantea, es muy loco. De verdad, creo que en muchísimas mujeres no es real el deseo de ser madre. Lo hacen porque "deben", influenciadas por la religión o porque el hombre no te quiere si no tenés hijos. Lo ves en la televisión, en la radio, en los libros: "La mujer nació para ser madre".

Me parece que esta cosa de saldar las deudas de uno como hijo siendo mamá es peligroso.

Otras madres acudieron en busca de la asistencia profesional de Mónica. Por su trabajo corporal estaría en condiciones de ayudar a sus hijos enfermos, y por su experiencia como mamá. Cabe decir que lo intentó.

—Después de la muerte de Julia cambié de actitud: ya no soy la que todo lo puede, la "salvadora". Ubiqué a la madre donde debe estar; estoy intentando tener vínculos más sanos y verdaderos. Tengo una familia de amigos que elegí, con quienes hay una cosa de dar y recibir que fluye. Con ellos pude construir una relación linda.

A través de todos estos años aprendí que nada es tan grave ni tan maravilloso. Me parece que la vida pasa por cosas chiquitas, no espero mucho más. La proyección en el tiempo no me va. Pueden pasarte cosas que te sorprenden y que está bueno aprender a capitalizar y a disfrutar. Con Julia aprendí que en la vida se construye el vínculo con un hijo, con la pareja; nada es mágico, nada viene dado. Ella me enseñó que lo único que vale es el amor, lo otro, da igual.

Suspira el final y hasta cuando sea. Paso a paso, sin prisas ni ansias ni palabras de más. José a su lado. Julia amarrada a su corazón.

Marcia y Teresa

Marcia: "Teresa no mostraba la panza como la hubiera mostrado yo".

Teresa: "Al final, lo único que le importaba era que yo había podido, y ella no".

Llegar a Marcia fue difícil. Hubo acercamiento porque un periodista amigo resultó ser de su círculo íntimo; sólo así. Pero que me comunicara a su celular y por la tarde; severa Marcia. Que sólo dispone de una hora el martes. Que nos encontremos a una cuadra de la colonia de verano donde va su nena. Que cinco minutos antes del egreso de los chicos, ella la espera: por nada del mundo dejaría escapar la sonrisa del reencuentro, ni un sólo día de su vida. Teresa, en cambio, aceptó de inmediato. Me citó esa misma tarde en un viejo bar del centro.

Primero Marcia, después Teresa. Los interrogantes se abrían para responderse en un próximo encuentro. Tres veces así: primero con una, después con la otra. Cuando descubrí que me habían convertido en mensajera, no pude volverme atrás, acepté ser vehículo de ilusiones y desaliento/desencanto.

Y, por única vez, cotejé dos voces en absoluto silencio.

Marcia: El proyecto de tener un hijo viene de antes de conocer a Teresa. La historia es que yo estaba en otra. Me casé con Ricardo a los diecisiete para escapar de casa; pobre tipo, le dejaba una foto mía en la mesita de luz mientras estudiaba psicología y ciencias de la comunicación. Me separé después de siete años. Tuve otras parejas, hombres y mujeres, pero no quería embarazarme. Prefería tener un hijo cuando pudiera darle todo, desde lo económico hasta mi propia madurez. A los treinta y cinco –yo ya vivía con Viviana–, me hice la primera inseminación artificial, que no es nada simple. Fue en ese momento que una amiga me contó del grupo de madres lesbianas. Me sugirió que me acercara a contar mi experiencia. Fui y hablé de las hormonas que tuve que tomar, las ecografías de ovarios, detallé los estudios que tuve que hacerme para la fertilización. Y cada tratamiento era carísimo. Había que tener el dinero suficiente; las obras sociales, nada. Contaba todo esto cuando una piba se levanta de la silla y me dice: "Vos estás loca, te admiro, pero estás loca. ¿Vas a traer un hijo al mundo para que te pida explicaciones?, ¿para que sufra?". Es una experiencia que quiero tener, le contesté. La piba era Teresa, así nos conocimos.

Teresa: Las rubias no me gustan, pero a Marcia la miré con ganas. Era distinta.

Marcia: Nos reencontramos con Tere en el cumpleaños de una amiga, pero esta vez nos cagamos de risa. Yo ya andaba sola. Después, me llamó por teléfono. Mucho teléfono, porque ella tiene una virtud: puede estar dos horas hablando. Entonces empezamos a conocernos. Ella escribe muy bien, yo también. Nos reunimos un día en La Ópera, yo iba con mi librito de poemas encuadernado en un papel reciclado, precioso; pensé que iba a gustarle y ella llevaba el suyo grande y azul, todo escrito, hasta en la tapa. Empezamos a vernos en bares del centro, bien poético lo nuestro. Y se nos ocurrió hacer una especie de contrapunto literario: ella escribía poemas, los leíamos juntas y, en un próximo encuentro, yo llevaba la respuesta en forma de poema. Estuvimos así durante meses, súper romántico. Me acuerdo que un día, en el café Notorius, llovía mal, cuando salimos le digo: "Pensar que podríamos haber estado haciendo el amor", "Es que nos hicimos el amor", contestó. Esa misma tarde fuimos a un hotel.

TERESA: Yo había curtido muy poco con mujeres. No estuvo mal; no parecía una primera vez.

MARCIA: Cinco meses después vino a vivir a casa y se ofreció para acompañarme con el tratamiento. Me hice tres inseminaciones. Pero como tengo un solo ovario, porque a los veinte años me operaron de un quiste, Teresa propuso donarme sus óvulos; los suyos servían más que los míos. La acompañé a que se los sacaran, fue denso. La pinchaban desde la concha, yo estaba histérica, me parecía que iba a salir todo mal. Eso sí, nunca la dejé sola. Estuve con ella cuando se los sacó y me los dio.

TERESA: Me sentía un semental, le estaba dando lo más mío, lo más íntimo.

MARCIA: Tener el óvulo de otra mujer en tu propio vientre no es pavada, es como incluir un ser extraño en lo más profundo, y que después se convierta en una panza, en una criaturita, eso pensaba yo. Y que el óvulo sea de otra mujer que, además, es tu pareja que tiene hijas a las que les conocés las caras; demasiado fuerte. Comparable a recibir el semen de un hombre, pero más complicado.
Por supuesto, recurrimos a un banco de esperma.

TERESA: Quizá para la mujer sea más fácil incluir al hombre en su embarazo porque la pertenencia está, es real.

MARCIA: Las mujeres normales, en el primer mes, ni se enteran de que están embarazadas, hacen la vida de siempre. En cambio, con este tratamiento, te llenan de medicación para sostener el embrión que no se sabe si está vivo o muerto. Y cuando te hacen la primera ecografía, tampoco hay certeza de que la bolsita negra que ves en la pantalla, con tanta ilusión, esté llena. Mientras, te inyectan estrógenos, progesterona; es mucho.

Todo es un misterio y una ansiedad tremenda hasta el primer análisis de sangre.

Teresa: Marcia no estaba lista. Lamentablemente.

Marcia: El embrión se enganchó en la trompa y no bajaba. Comencé a desangrarme, me operaron de urgencia. Me sacaron las trompas; tuve un embarazo ectópico, casi me muero. No importa, para la inseminación es mejor si no tenés trompas, evitás futuras complicaciones. Me volví a hacer otra inseminación, y otra más, pero no quedaba embarazada.

Cuando los perdía, era tremendo. El dolor pasaba por velar al hijo muerto, al hijo que no fue.

Teresa: Entonces dije: "Basta de sufrir. Necesito dar vida. Que me inseminen a mí".

Marcia: No fue la felicidad. Sabía que Tere lo estaba haciendo por la pareja, pero me costaba resignarme. No podía entender por qué yo no había podido; y encima tenía que sentirme agradecida por su generosidad. Pero acepté, tenía que aceptar. Fuimos juntas a ver a la médica y le contamos el cambio de plan. Le pareció posible; le pareció bien. Siempre contamos con ella. A diferencia de la mayoría de los médicos que se horrorizan frente a la falta de un padre, ella nos apoyó incondicionalmente. Ahora es mucho más común que dos mujeres quieran ser mamás. Nosotras fuimos pioneras, abrimos camino.

Teresa: No fue una decisión fácil, yo ya tenía tres hijas.

Marcia: Cuando Tere me hizo entrar al consultorio, me señaló la pantalla y la doctora anunció que estaba latiendo, sentí pánico corporal. Marta, mi amiga –mi hermana– que nos había acompañado, me preguntó cómo me sentía, porque "ése era tu lugar". Claro, Teresa escuchó y entendió mal, creyó que mi problema pasaba por no ser el centro de la atención. Ni ahí. A mí se me habían mezclado muchas cosas: el duelo del vientre vacío y el embarazo de una mujer, mi pareja.

TERESA: En mis otros embarazos yo era una panza con patas. Feliz. Éste fue una mierda.

MARCIA: La mujer embarazada es muchísimo más sensible, necesita ser el centro, necesita más y más y más. Aparte tiene sus mambos, sus rayes; claro, con tanta progesterona dándole vueltas por el cerebro. Fue una experiencia más que nueva. Tenía mucho miedo de mantener relaciones sexuales –pánico– y a ella le costó entenderlo. Se sentía no deseada, pero yo no podía tocarla, creía que tenía que cuidar a ese bebé que, para colmo, habíamos gestado por fertilización.

Nadie imagina lo difícil que es entender a la embarazada, siendo su pareja y teniendo útero.

TERESA: A mí siempre me resultó fácil quedar embarazada. Hasta me acuerdo de los días en que cogí y gesté a mis hijas.

MARCIA: Teresa se sentía mal por tanta hormona; estaba hinchada y engordó un montón. Encima, me decía que se sentía más abuela que madre, que no iba a tener paciencia para criar.

TERESA: Con la fertilización hay un pedazo de amor que no está.

MARCIA: Y no mostraba la panza como yo la hubiera mostrado, ni usaba la ropa que hay ahora tan divina para embarazadas. Nada que ver. Encima, después de parir, decía: "Porque cuando estaba embarazada de Alex...". Entiendo que no haya podido decir: "cuando estábamos embarazadas", "cuando la tuvimos en nuestro vientre". Porque la conexión de la madre con el hijo es terriblemente individual, narcisista y absoluta. Está adentro. La gestación fue suya, lo sé y es irreversible. Pero me resultó difícil escucharla desde el lugar de mujer. Porque yo también me había sentido embarazada; entonces, lo que necesitaba ella, lo quería yo también y, para colmo, con el útero vacío.

TERESA: Hubiera preferido que me agarrara un chabón de la calle, al menos le hubiera conocido la cara.

MARCIA: Cuando Teresa gestó a nuestra hija, a mí se me abrió el útero como a ella; fue exactamente lo mismo. Aunque esta historia hormonal de gestar, de sentir a un ser creciendo dentro del propio cuerpo, la capacidad de crear vida es, sin duda, nuestro bien más preciado y más precioso. Todavía hoy me queda la necesidad del vientre lleno, estas ansias egoístas que tenemos las mujeres de sentir latir a un hijo en nuestro interior.

Eso sí, unos meses antes de que naciera Alex nos mudamos a una casa más grande. La estábamos gestando y pintábamos la casa. Armamos un cuarto especial para la beba con lo que pudiera necesitar, habíamos proyectado absolutamente todo; traeríamos al mundo a una princesa.

Alex se abre entre amor y penas

MARCIA: Alex nació un 24 de septiembre. Todo estaba dispuesto por nosotras: filmamos, sacamos fotos, musicalizamos la sala con canciones que le habíamos hecho escuchar durante los nueve meses; resultó maravilloso. Yo fui la primera en alzarla y nunca más nos separamos. La llevé para que la pesaran, para que la pincharan. La cambié por primera vez. La enfermera no dijo nada porque, claro, yo era la madre.

TERESA: Marcia entró apenas terminaron la cesárea. Se la di con un dolor en la concha de la re-mona. Lo habíamos pactado así.

MARCIA: Soy madre desde que nací, es evidente. Gesto cosas artísticas, intelectuales. Cuando juego con los chicos me transformo. Y me da una plenitud incomparable. No lo puedo explicar, soy madre. Y Alex es mi vida. Punto. No hay otro título. Duermo con ella desde que nació, soy la que se ocupa cuando llora. Le leo cuentos, la duermo, le canto *La reina batata*. Teresa es menos *idishe mame*, yo soy bien uterina.

TERESA: Ella le daba la teta aunque no tuviera leche, después yo la amamantaba. Se dormía sobre su pecho. Lo reconozco, conmovedor.

MARCIA: Tere se encarga de la comida, pintan juntas, canta en un coro y la lleva con ella; en cambio, conmigo hace lo corporal, los movimientos, los juegos. Vamos al gimnasio, a natación, a Palermo, al teatro. Somos las lieras, nos divertimos con las travesuras. Me tiene en un bolsillo. Cuando hace mucho quilombo y Tere la reta, Alex para. Pero cuando hace lío y "mamá Mar" la reta, me dice: "Sos mala, la más mala del mundo, no te quiero y no vas a jugar más conmigo". Yo le digo: "¿Por qué me decís que soy las más mala?". Ahí cagué. Ella sabe por dónde entrar. Piensa: "A ésta la ablando y me va a dejar hacer lo que quiero. "Lo tengo asumido. Todo bien".

TERESA: A ella la dibuja con pantalones, a mí con pollera; me lo contó la directora del colegio. ¿Será que la parí? ¿Serán los genes?

MARCIA: Cuando la anotamos en el colegio, le preguntamos a la directora qué pasaría si otros padres se quejan por Alex y sus dos mamás. Ella nos contestó que, en ese caso, les pediría "amablemente" que se fueran a otra institución. O sea, el respaldo es total.

TERESA: No me acuerdo si para el día del padre nos prepara regalos en el jardín ¿Marcia te lo dijo? Puede ser. Sé que para el día de la madre hizo dos *collages* hermosos.

MARCIA: Alex es ordenada y súper coqueta. Yo soy adicta a la ropa, ella también; nos maquillamos y salimos de compras, nos encanta. La pasamos bien. Alex se crió con nosotras que no nos escondemos de nadie y, como su entorno lo toma con naturalidad, qué problema puede haber.

Hace poco me preguntó por qué tiene nombre de varón, le conté que hay hombres y mujeres que se llaman así, que es un nombre para todos, por eso nos había gustado a mamá Tere y a mí: "Ah, sí, me olvidé", me dijo, y pasó a otra cosa.

Alex tiene una base de mucho amor, respeto, juego y observación. Nació fuerte.

Teresa: Pobre criatura, está cansada de que le pregunten por qué tiene dos mamás. Yo sabía que no iba a ser fácil. Se lo advertí a Marcia.

Marcia: Lo único que sale de lo común en ella es su cerebrito. Investiga, y te sale con cada cosa. "¿Vos te casaste con mamá?", me preguntó la semana pasada, "Claro, nos casamos por amor", le contesté.

Y cuando nos damos besos: "Ustedes ya se están besando", dice, "Qué son" ¿Novias?".

Teresa: Vos podés contener a tu hijo, pero hasta cierto punto.

Marcia: A los pocos días de nacer fuimos a anotarla. Ante la pregunta obligada: "¿Nombre del padre?", "Somos dos mamás", respondimos a la vez, con Alex a upa de Tere. "Entonces dejo el casillero en blanco, para cuando aparezca el padre", sugirió la rubia detrás del escritorio. "No, somos dos mamás, queremos que nuestra hija tenga los dos apellidos", "Permítame", se dio la vuelta, nerviosa, y llamó por teléfono a no sé quién. Después nos encaró: "Me dijeron que deje el casillero del apellido del papá en blanco y punto".

Si fuese hombre podría darle mi apellido y tendría una adopción compartida. Hoy, Alex no tiene derecho a nada mío, ni siquiera haciendo una unión civil, y no puedo poner nada a su nombre porque es una menor. Una hijaputez. Algo van a tener que hacer. La unión civil entre homosexuales es un adelanto para esta sociedad retrógrada, pero legalmente no sirve.

TERESA: Cuando me embaracé no sabíamos de las complicaciones jurídicas.

MARCIA: Si mañana Alex crece y me dice: "Sos nadie", legalmente, no puedo esperar nada. Y si a Teresa se le ocurre llevársela, tampoco. Es como la muerte. Dificilísimo, porque cuando el amor de una pareja se termina, chau. Pero vos no podés cambiar a un hijo por otro.

TERESA: Al final, lo único que le importaba era que yo había podido, y ella no.

Par de madres

MARCIA: Cuando fuimos a la televisión para defender el derecho que tiene Alex de llevar dos apellidos, como cualquier criatura, se pudrió todo. Los religiosos me hablaban de la importancia del padre. Pero, por favor, la figura paterna es un rol; nosotras somos mamá y papá. Además, los vínculos no son los de treinta años atrás. Hoy están los tuyos, los míos, los de mi tercera pareja. Hombres solos trabajando y criando a sus hijos, mujeres abandonadas. Me pregunto: ¿es mejor un chico maltratado por su papá que el que tiene dos madres y fue criado con un amor inmenso?

Cuando Alex, a los cinco años, quiso conocer a la bióloga que había participado de la gestación, todo bien. Una tarde, nos fuimos las tres a la clínica y las presentamos. Le contamos cuánto nos había ayudado a que naciera, y de la mejor manera, en una sala sólo para ella y con la música que había escuchado desde la panza. Tenemos el casete guardado, todavía lo escucha. Sabe todo. Nosotras le contamos todo.

Teresa: Alex me preguntó si tenía un papá, le dije que sí, aunque no lo conocíamos. Se le antojó que le inventaría un nombre. Nunca lo hizo.

Marcia: En la entrevista de la tele yo salí a defender la imagen de Alex y de Tere, salí a defender lo que era mío. Las hijas de Tere estaban furiosas con que hubiéramos hecho pública nuestra denuncia. "Pero su mamá está protegiendo a su familia. Si ustedes quieren seguir vinculadas con su hermanita tendrán que aceptar que su mamá está en pareja con una mujer y tienen una hija en común".

No quiero exponer a Alex en el aquí y el ahora porque es una menor, pero cuando sea más grande vamos a ir a todas partes a denunciar esta injusticia. Es importante que defienda sus derechos.

Teresa: Mis hijas sólo me habían pedido que no las expusiera públicamente. Las entiendo. Es complicado, yo siempre en el medio.

Marcia: No soy lesbiana, me disgustan los rótulos. Armé familia con Tere porque la amo. Si mañana me enamoro de un hombre, estaré con un hombre. Aunque la relación con una mujer es mucho más fuerte, más pasional; no, comprometida, pasional. Hay otra magia, y la conexión es bien sensible, intimista; conflictiva también. Es un trabajo de todos los días acomodar el útero de una manera que siga siendo tuyo pero que, también, se comparta. Y más vale aceptar lo que le pasa a ella, porque mañana te puede pasar a vos.

Teresa: Nosotras tenemos lo que improvisamos en el aquí y el ahora; ninguna tuvo un buen modelo.

Marcia: Tere es tranqui, medio bohemia. Yo soy más polvorita, me muevo todo el tiempo; ella me baja y yo la subo. Inclusive con Alex. Yo le juego, la hago correr. Tere se sienta y pinta. Es una mina terriblemente creativa. A veces chocamos, otras, nos complementamos. Claro, las dos tenemos carácter fuerte. Hubo momentos en que el crecimiento de una de nosotras resultó una amenaza para la otra, pero nos supimos acomodar; o cuando surge el extraño en el otro, cuando te preguntás ¿con quién estoy durmiendo? Sos vos, tenemos un hijo, nuestra casa...

TERESA: Partimos de la falta, de lo que no pudimos resolver.

MARCIA: Las diferencias también nos enganchan: "Me molesta que dejes tazas tiradas por todas partes", "a mí me molesta levantar una almohada y encontrar una birome tuya". Tere se queja, dice que me enojo todo el tiempo, que le grito. Es verdad, reconozco que soy bastante obse. Es que me jode que la cama no esté hecha, que a la noche los platos queden sin lavar. A veces llego de laburar todo el día, tengo que bancarme el quilombo, y encima la veo a la otra tirada tan tranquila, hablando por teléfono o viendo tele.

TERESA: No sé que sería de nosotras sin un proyecto en común.

MARCIA: Me cuesta aceptar que ya está, que no fui capaz de gestar. No puedo procesarlo, todavía no. Será que esa falta tiene que ver con otras: mi padre, la adolescencia, el juego de la niña que perdí. Si yo volviese a nacer, no sería anoréxica, pero eso viene de un momento oscurísimo de mi niñez, de mi entrada a la adolescencia, y me quitó veinte años de vida. Estuve presa en mi cuerpo, autodestruyéndome. Pude volver a menstruar con Pablo.

Marcia, qué mujer

MARCIA: De Pablo me enamoré a los treinta, fue una exigencia grosa. Era el hijo del presidente de la empresa textil donde yo trabajaba. Vestía siempre de negro, era bellísimo, un tipo de mucha experiencia. Decía que se había enganchado conmigo porque le fascinaba cómo escribía. Aparte, yo era re-atorranta. Para mí nunca existió esta cosa marcada de que los hombres avanzan sobre las mujeres.

Creo que la historia se da mutuamente, y él pensaba igual, era re-abierto. Estuvimos dos años juntos, pero yo sufría porque lo nuestro parecía una carrera, yo tratando de llegar a su altura. Soy así, mis relaciones siempre se me impusieron como una competencia. Además, el chabón fumaba marihuana, y yo también, y me costó un huevo salir de ésa. Ni ahí era consciente de lo que estaba haciendo, sólo el humo me hacía ir al carajo. Cuando pude romper con él me sentí libre, me saqué un peso de encima. Me reencontré con mi gente, volví a escribir, pude relajarme. Al toque, conocí a Marta, mi primera mujer, la primera que amé. El *flash* fue totalmente corporal. Estábamos en el ensayo de una obra de teatro que codirigíamos, ya habíamos terminado. Le estaba haciendo masajes y acabamos curtiendo. Ella actuaba en obras *undergrown*, también en la tele, tenía una onda muy copada. Me acuerdo que venía en bicicleta desde Turdera. No sé cómo terminamos siendo pareja durante siete años, una eternidad. Hacía mucho tiempo que no sentía nada por nadie.

Teresa: Si me preguntan si soy lesbiana, contesto que no –porque no lo soy–. Estoy convencida de que lo único que no debería esquematizarse es el amor.

Marcia: Al principio me miraba en el espejo y pensaba: “Tengo que estar con un tipo, no con una mina, no puedo dejar de ser mujer”. Estaba sorprendida y con mucha culpa. Fue terrible, todo mal; de hecho, mantenía relaciones con hombres para quedarme tranquila. Estoy criada para otra cosa, el mandato familiar correspondía a un hogar de padre-madre-hijos. Me costó blanquearlo en casa, no es que me rechazaran, pero al final lo dije como al pasar. Un día fui con Marta y la presenté como mi pareja. Hubo aceptación. Uno piensa mucho, pero los otros no tanto. Tardé añares en contárselo a una flaca amiga y ella lo sabía. El prejuicio es de uno, no del otro. Pero ya fue, ahora me manejo con total libertad.

TERESA: Cuando empecé a estar con mujeres, no pensé en mis hijas, será que soy desprejuiciada.

MARCIA: No se me ocurrió tener un hijo con Marta. Me interesaban otras cosas. Estudiaba, hacía cursos, trabajaba, ahorraba para comprarme una casa, armé la empresa de materiales para la construcción que todavía hoy manejamos juntas –a esta altura es como una hermana para mí–.

No tenía tiempo de pensar que se me estaba haciendo tarde.

La fatalidad

MARCIA: Me avisaron que papá había tenido un accidente ferroviario; yo estaba en una clase de guitarra. Nunca más pude volver a tocar. Tenía once años. Me acuerdo que recién nos habíamos mudado a un departamento en Villa Crespo y tuvimos que dejarlo para irnos a vivir con mis abuelos. Mi vieja no podía mantenernos, nunca trabajó, siempre fue infantil y temerosa. Mis abuelos nos ayudaban muchísimo, pero yo era el sostén de mi vieja y el mío; también estaba mi hermanito, cuatro años menor que yo.

Con el accidente se acabó mi niñez; el juego, mi mundo, la pieza donde yo escribía con una maquinita que me había regalado mi papá. Después del accidente empecé a tener problemas en la escuela. Mamá, bien precaria, no entendía, me cagaba a trompadas. Por eso tengo faltas de ortografía, aunque viva leyendo.

A papá lo encontramos un año y medio después del accidente en un hospital de Monte Grande a través de un contacto de mi tía. Sin documentos, sin memoria, sin nada. Tirado en una cama, sobreviviendo de milagro. Se había caído del tren y se había golpeado la cabeza con las vías. Como estaba inconsciente, le robaron todo, por eso se desconocía su identidad. Tuvo una hemiplejía. Pasaron varios meses hasta que nos pudo reconocer, aunque quedó mal, sufrió de varios ataques de amnesia.

A mí me salvó la escritura, aunque mamá no quería saber nada, todo era subversivo en esa época. La clase media educaba a sus hijos para que fueran médicos. Una adolescente de trece años que quisiera escribir y leer no era recomendable.

Teresa: Al principio, era lindo vivir con Marcia.

Marcia: Mi tía era escritora y militaba en el Partido Comunista, fue mi salvación. Me llevaba a los talleres de poesía; yo siempre era la más chica, me tenían como a la benjamina. Ella me dio una educación, me orientó en todo lo que soy. Fue una verdadera madre para mí. Y como modelo de mujer, me impactó. Era una revolucionaria, independiente y fuerte, que no es sinónimo de no femenino, sino de avanzada. Trabajaba, tenía un marido, una hija, organizaba la casa, podía con todo. Además, era hermosa. Bella por dentro y por fuera. Si tuviera que elegir una imagen de mujer, la elijo. Por ahí la elevé mucho porque supo escucharme y llevarme adonde más quería. Cuando sos chica, necesitás que alguien te encuentre esa puerta de adentro; ella la abrió. Murió hace muchos años, pero su recuerdo vive en mí y en cada cosa que escribo.

Alex la conoce por referencia. También a mi abuelo, porque son dos figuras muy importantes de mi historia. Mi tía era el arte, las letras, la sensibilidad; mi abuelo era el místico, el de los cuentos. Él nos enseñaba la importancia del trabajo, del ahorro para comprar un techo propio, el de las mesas largas con los nietos alrededor.

Teresa: Ahora me olfatea la comida con cara de asco; y a mí que me encantaba cocinar.

Marcia: La única que se dio cuenta de que había algo raro conmigo fue mi abuela. Cada vez que iba al baño a vomitar preguntaba qué pasaba. Yo trataba por todos los medios de que mi mamá se diera cuenta, pero ella no quería o no podía verlo. En esa época, la anorexia y la bulimia no eran enfermedades conocidas, eran intratables.

Así fueron veinte años de mi vida; perdí un ovario, la vesícula, piezas dentales, la menstruación, la posibilidad de gestar. En terapia vi que son enfermedades que se conectan con la muerte. Claro que tengo borrada la adolescencia, porque ¿cómo un muerto va a recordar un hecho feliz? La anorexia y la bulimia son la pérdida absoluta de todo. Pesaba treinta y cinco kilos, me miraba en el espejo, y me veía gorda. Hasta que una tarde pasé por la heladería de Pueyrredón y Corrientes, compré un helado y, cuando llegué a casa con la barriga llena, me di cuenta de que no había tenido la necesidad de ir a un bar a vomitar, me di cuenta de que mi cuerpo podía recibir alimento sin despedirlo. Todavía no conectaba con el placer ni con el deseo, pero fue una primera pequeña conexión intuitiva con la vida.

Empecé a los quince con la anorexia y a los treinta y cinco pude superarla. Entonces aparecieron las ganas de ser mamá. Cuando gesté el embarazo ectópico y estuve al borde de la muerte, lo primero que le dije al médico fue: "Sólo sé gestar monstruos". Todavía no podía disociar. El pánico te paraliza, te hace ver fantasmas por todas partes.

TERESA: Las parejas tienen la fantasía (absurda) de que la maternidad resuelve algo.

MARCIA: Cuando me estabilicé, cuando pude superar la enfermedad, con recaídas y muchísima terapia, me empezaron a caer varias fichas: la de la sobre-exigencia, por ejemplo. Ahora aflojé un poco, aunque sigo siendo sostén. A veces me da mucho temor porque todo recae sobre mí: lo económico, lo estructural. Siento que es mucho, me fatigo, como que mi espalda quiere dejar de sostener, pero no puedo. En todas partes me pasa lo mismo, en el trabajo, con la pareja, con mi hija. No puedo cambiar, me da cierta seguridad tener el control, será porque me asegura no quedarme en banda.

Aunque a partir del nacimiento de Alex pude conectarme con el placer. Antes, lo único que sentía era miedo; ahora, después de acompañar el embarazo de Teresa, entendí lo que es gestar un hijo y sacarlo del vientre. Empecé a darme la posibilidad de parar, de tomarme un tiempo para verla crecer. Me di cuenta de que soy capaz de generar amor en el otro. Alex aprendió a amarme a través de mi cuidado y de mi juego, de mi respeto hacia ella. Es verdad que no fui capaz de gestar –me queda una cuenta pendiente, me pesa– pero estoy pudiendo criar a un ser maravilloso.

Mal que mal, tengo mi familia, mi trabajo, y siento un amor que no conocí en mi puta vida. La joda es que me llevó tanto años. Antes tenía el cuerpo y no la cabeza; ahora que tengo cuarenta y largos, es tarde. Fue el camino que tuve que transitar para aprender.

Teresa: Las personas no cambian.

Marcia: ¿Podrías decirle a Tere que mi sueño reparador es entregarle a ella, que me hizo madre, la oportunidad de acompañarla en otro embarazo? Y mimarla y que sea una reina. Porque ahora sí sería capaz de contenerla y comprenderla, ahora entendí.

Teresa: ¿Cambian las personas?

Alex tiene diez años ya.

Patricia

"Al parir se da a luz
a lo escondido".

Quedan rastros.

Aquí es donde mi amiga Silvina, después de cuarenta y ocho horas de trabajo de parto, dio a luz: en casa, acompañada por el marido y dos parejas de amigos. Patricia, su partera, lo hizo posible. "¿Por qué no recortar la escena y hacerla carne en pocas líneas", propongo, pero a Silvina le faltan espacio, tiempo, ganas; acaba de parir. Sugiere, en cambio, que entreviste a la partera; quién más indicada para contar de qué se trata lo que ella no alcanza a entender todavía, aunque dimensiona, y presiente que le cambió la vida. Me entusiasma de tal manera la posibilidad de entrevistar a quien, imagino, ha visto todo, que temo un no. Imposible suponer que, días después, estaré en el barrio de Caballito preguntando por Patricia frente a un edificio que, desde afuera, nada dice. Ideal para resguardar/cobijar intimidades.

Cuando combinamos la entrevista, Patricia me previene: "Mi trabajo no es convencional". Comenzamos inmediatamente. Me informa que la función de la partera es atender la concepción, el embarazo, el parto y la crianza. Sin patologías, por supuesto; en ese caso, la mujer acude al médico. Me advierte que la partería tiene que ver con el proceso fisiológico, no con lo que se vuelve enfermo. Queda claro. Ahora quiero saber:

—¿Qué dictan las convenciones?

—Empiezo por el título: ante la Universidad de Buenos Aires, no soy partera, soy licenciada en obstetricia, una formación académica centrada en la medicalización del parto. Estudiamos con libros en los que las mujeres se ven acostadas, con las piernas abiertas, y pariendo. Presentan ésta como la única postura. Te enseñan a atender los genitales, y no a estos genitales en un cuerpo. Además, te hacen estudiar los genitales internos y externos cortados, no los úteros enteros. Yo no adhiero a esta concepción, en lo absoluto. Soy una partera holística, tomo en cuenta todo el ser: cuerpo, emociones, mente y alma.

Además, la obstetricia pone el acento en el ciclo orgánico; cuánto tiempo de embarazo lleva, el bebé pesó tanto, midió equis centímetros, cosas así. Yo estoy atenta a esto, pero también hago otras lecturas. Presto atención a la luna y a la noche que también rigen los ciclos.

Ser mujer es una bendición, no sólo porque somos capaces de parir, sino porque estamos regidas por ciclos que suponen una gama enorme de posibilidades, como cuando se nace y se muere. Y las etapas no se pueden saltar ni negar, como si alguna fuera mejor que otra.

—¿Por qué se teme a la hora de parir?

—Porque hay una tradición que avala este miedo; parte es cierta, la otra no tanto. No es casual que las parteras hayan sido quemadas en la hoguera por brujas. Además de ser mujeres, no olvidemos este detalle, animaban a parir en libertad. Cuando una mujer puede atravesar el parto libremente, sin esperar que el otro te habilite, o teniéndolo cerca como para posibilitártelo solamente adquiere un poder enorme. El paso del bebé por la vagina te permite dar a luz a cosas que antes no veías, que no sentías, o que negaste. En el parto no hay escapatoria, hay luz. El término es *alumbrar,* porque ayudás a habilitar la totalidad de los sentimientos. Para que nazca el bebé hay que abrirse, y el inconsciente no discrimina, abre todo. También lo escondido.

Creo que ser partera tiene que ver con ayudar a iluminarse.

Patricia acompaña estos tránsitos de luz desde hace veinte años.

—Al principio venían a conocerme al séptimo mes, enviadas por los médicos. Hoy atiendo pacientes que ni están embarazadas; otras, parieron hace rato. En las consultas, pregunto si fueron amamantadas, si nacieron por cesárea o no; e indago acerca de los partos de las otras mujeres de la familia. Me interesa saber sobre la relación de pareja como también sobre el vínculo con sus madres y con sus abuelas. Y no propongo nada, simplemente les pregunto dónde quieren que nazca el bebé. Algunas eligen hacer antes el trabajo de parto, pero quieren que la cabecita salga en la clínica; otras, eligen parir en casa. Y si no hay acuerdo en la pareja, no voy. Estoy atenta al deseo de ella, si quiere parir en casa, seguro que se hace, porque el primer deseo es el de la mujer; si, en cambio, no lo tiene claro, acepto hacer antes el trabajo de parto, pero el bebé nace en la clínica.

Lo profesional también cuenta. Si se requiere de alguna intervención médica, un suero o la peridural, por ejemplo, el parto domiciliario no es posible. Por eso, antes de tomar la decisión, se hace una pesquisa de antecedentes de riesgo. Una mujer con anemia tendría que asistir sí o sí a un centro médico.

Hechos los análisis y tomada la decisión, se les hace una lista de materiales para que compren, y se les pide que combinen con una clínica, por si hubiera una emergencia. Y si no la tienen, que ubiquen el hospital más cercano.

Ofrece su casa para los nacimientos, o se acerca adonde sea. Siempre acompañada por Violeta, otra partera, porque es una tarea muy comprometida desde lo orgánico, "de poner el cuerpo", puntualiza.

—También desde lo emocional, y desde la urgencia, porque se necesitan cuatro manos que sepan qué hacer. Si, por ejemplo, hay una pérdida importante de sangre cuando sale la placenta, una tiene los guantes puestos y la otra toma las herramientas necesarias; o masajea el útero o acuesta a la mujer.

—El hijo parte en dos a la madre, la atraviesa hacia la luz, la vuelve a encontrar.

—El trabajo de parto es el proceso que hace el útero para expulsar al bebé. Mientras, la mujer se debate entre dejarlo ir, y no. La oxitocina, que comanda este trabajo, genera contracciones, toma al bebé y lo suelta durante muchas horas. El cuello del útero es como una vasija, completamente cerrada que mira hacia atrás, hacia la espalda, durante los nueve meses. Cuando se inicia el trabajo de parto, empieza a abrirse como la boca del volcán y va girando para mirar hacia el pubis. El trabajo de parto termina cuando se acaba de abrir esta boca y cuando está absolutamente en eje con la vagina. Entonces, empieza a bajar la cabecita del bebé.

El parto propiamente dicho se inicia cuando la mujer comienza a expulsar espontáneamente al bebé. Es absurdo enseñarle a pujar, lo hace naturalmente. El reflejo aparece cuando la cabeza del bebé salió del cuello del útero y se mete, como por un tobogán, en el eje de la vagina.

En realidad, el útero es la misma identidad femenina, es lo más profundo. No es casual que nuestro universo hormonal y emocional sea tan grande. El útero palpita en las mujeres, se contrae como el corazón. Yo lo llamo *corazón uterino*.

—Útero es matriz. Es mujer y madre.

—El arte de la partería está en hacer sin hacer; en confiar en que las mujeres saben, y si se encuentran desorientadas, guiarlas. Ellas, durante el trabajo de parto, buscan aliviar su dolor. Caminan o se sientan o esperan la información corporal para actuar después. Algunas se meten en la bañera y no salen más, paren ahí. Otras prefieren caminar por la calle, pero son las menos, porque, cuando el trabajo de parto se instala, buscan el nido, buscan sentirse seguras. Me ha tocado hacer parir en hogares muy humildes, pero al ser espacios conocidos, les generaba tranquilidad.

Mientras tanto, se escuchan con un aparatito electrónico e intermitentemente los latidos del bebé. Yo las ayudo a que expresen lo que sienten. Nunca digo que no duele, sí duele, claro que duele. La fibra muscular, por tanta represión: "cerrá las piernas", "sentate derechita" y "portate bien", fue haciendo que nuestros úteros se pusieran duros. El dolor tiene el sentido de abrirse, de soltar. Si te duele no estás soltando, estás peleando con tu cuerpo. "Con dolor y con miedo, dale para adelante", esto les digo. Es el útero que está palpitando, haciendo el tránsito de despedida. Agarra y suelta, contrae y relaja. ¿No es lo que hacemos con nuestros hijos? O los asfixiamos o los expulsamos. Yo lo hago con el adolescente que tengo en casa.

Por otro lado, durante el parto, el bebé funciona como un órgano, pero las mujeres no son conscientes de lo que ocurre. Es tanto el sentir a nivel corporal que, cuando gritan, no están pensando que su hijo les atraviesa el cuerpo. Entran en un estado de amnesia. La propia naturaleza nos pone en un estado de amnesia, y en esto hay que confiar. Después, les agarra una sensación de borrachera.

—¿Qué despierta el parir sin anestesia?

—Sensaciones absolutamente viscerales. Todo se siente. Todo se atraviesa. Todo se grita. Pura expresión. Es abrir bien grande la boca, como la vulva; "como es arriba, es abajo". Da miedo sentir tamaña intensidad. Además, es un momento de mucha exposición, bueno, para demostrar quiénes somos.

Después de parir, en general, comentan cuánto les dolió o no; todo se centra ahí, como si fuera lo único importante. (Llegará el día en que no sentiremos dolor, pero faltan años de evolución). Porque, aunque duela, en este acto, participan varias hormonas de la felicidad como la oxitocina, la endorfina, y algunas otras. Pero culturalmente está marcado que es imposible sentir placer si se está pariendo.

La salida del bebé, en términos generales, no dura mucho. Pero yo he tenido a una mamá pujando durante cuatro horas. Con cada contracción, el bebé avanzaba milímetros, se le veía la cabecita. Yo le decía que estaba ahí, por salir, pero nada. Nunca se alteraron los latidos del bebé, pudimos esperar. Dos semanas después, en el control, le pregunté qué había pasado. Me contó que no había podido soltarse y que el dolor pasaba por lo emocional, más que por lo físico. Había sido violada a los cinco años.

Además, en su primer embarazo, su bebé estaba de cola, le habían prescripto cesárea; hasta ahí, todo bien. Pero cuando va a internarse, el bebé se da vuelta, se pone de cabeza. La operaron igual. Mientras, ella escuchaba que hablaban de cualquier cosa, hasta de fútbol; doble acto violatorio. No se opuso a que la cortaran porque no estaba preparada.

En un momento así, también se atraviesa el sometimiento. El sistema médico, a veces, funciona como una cárcel, no da la posibilidad de elegir.

Creo que la experiencia, más allá de tener un hijo, mueve cosas ancestrales. Ella fue de las que vino antes de embarazarse por segunda vez, no quería repetir(se).

Me entero que debajo de la mesa en la que apoyamos el café natural y las galletas de algarroba con membrillo, nació Débora. Fue el lunes pasado.

Betina vive enfrente. Me llamó a la una y media de la madrugada, había roto bolsa. Prefirió quedarse en casa, estaba todavía sin contracciones. Volvimos a hablar a las tres, sugerí que cruzara, no quiso. Vino a las cinco y cuarto. Débora nació a las seis y veinte. Usamos una sillita de parto que traje de Brasil.

Acerca la silla de madera, aparentemente simple, bajita, hecha de dos sostenes en forma de ese. Cuesta imaginar a una mujer en cuclillas y pariendo, y a Patricia recibiendo al bebé. Queda puesta ahí, a menos de un metro. Nuestra escena va siendo otra.

Llegó Betina. La tacté, tenía dilatación casi completa. La bañadera estaba llena, pero prefirió caminar en círculos. Iván, mi hijo, dormía en su cuarto.

—*Quiero saber cómo es ser hijo de una partera.*

—Es difícil. Estoy siempre yéndome para atender a otros. Y lo dejo solo.

Pasamos del hijo al gato que vio nacer a Débora acurrucado en la que ha pasado a ser, definitivamente, su banqueta. Quieto siempre, y contemplando.

—*¿Qué te indica que una mujer está lista?*

—Cuando se decide a parir; aunque está estudiado que el bebé desencadena el parto. En realidad, es como el huevo y la gallina, o como cuando vas a San Clemente y no sabés dónde termina el río y dónde empieza el mar. Es un binomio de por vida.

Sus manos como matriz tibia y concluyente. Pasaje también.

—Al bebé, prácticamente, no lo agarro. Lo recibo, lo seco sin frotarlo, le pongo un toallón calentito y enseguida se lo doy a la madre para que lo acomode en su pecho. Corto el cordón después de unos minutos, cuando deja de latir.

El bebé asoma la cabeza, el cuerpo derechito. Después, gira hacia la derecha y encaja su hombro. Nace en segundos.

—En realidad, voltea hacia la derecha o hacia la izquierda, depende de cómo haya estado encajado. El bebé es cómodo, siempre va a elegir la posición que le resulte más placentera. Si la mamá cierra las piernas y se tensa, se desgarra, porque contrapone su fuerza a la de su hijo que sólo pide arrasar, arrastrarse y salir. El bebé tiene muchísima fuerza; además, su cráneo es duro. El cuerpo vaginal, en cambio, es frágil.

Patricia es la primera en verlos venir irrumpiendo desde un espacio propio/conocido que, sin embargo, sólo podremos imaginar.

—Durante la escena se obtura el sentir para obrar con claridad, por lo menos hasta que el bebé saca los hombros. Después, el resto del cuerpo sale fácil. Diría que el momento entre que saca la cabeza y los hombros es lo que hay entre la inspiración y la exhalación: un tiempo suspendido.

Una vez que está afuera, me fusiono con el bebé y veo que los adultos lo tratamos con una crueldad enorme. No entendemos su universo. El universo del recién nacido es, además de puro, durísimo. No es tarea sencilla adaptarse a los colores, a los olores, a los ruidos, sin tener la posibilidad de quejarse. Un bebé sólo pide a través del llanto. Si estás atenta, el bebé te dice qué necesita, así se va construyendo la relación entre los dos.

—La madre interpreta.

—Debe estar creativa y sin juicio, como una página en blanco. A los bebés los empezamos a conocer cuando nacen, las mujeres nos tenemos que permitir ese tránsito de vacío. El hecho de gestar, parir y criar es de un gran vacío, no hay nada escrito. Nuestro primer "otro" es nuestra madre. En base a la propia estructura e historia llegamos más o menos sanas al vínculo con nuestro hijo.

Después del abismo que es parir a cada mujer le pasa algo diferente: hay quienes lloran emocionadas por conocer a su bebé; otras sienten extrañeza, como no pudiendo reconocerlo; o empiezan "no lo puedo creer... no lo puedo creer... no lo puedo creer" como un mandala. Para parir hay que entrar en trance.

Cecilia es somelié*; parió seis meses atrás. Tímida ella, de padre y marido médicos obstetras.*

—Parir es parirse porque es una ocasión en la que la mujer reivindica lo que puede y, a su vez, reivindica a su varón. Ricardo, marido de Cecilia, me decía, llorando a mares, que nunca había visto algo así. Porque en cada contracción ella se sostenía en él, necesitando su apoyo. Si la pareja se da permiso, evoluciona.

Cecilia me contó que, después del nacimiento, sintió una potencia impresionante para desarrollar su trabajo.

La mujer despide a su hijo y permanece matriz, con sabor a tierra. Húmeda y continente.

—El hombre hace el amor con la hormona de la adrenalina, después cae y duerme. La mujer no, porque funciona bajo la oxitocina, que es la hormona por excelencia del parto. La que también está presente cuando hacemos el amor y en la lactancia. Ella no libera adrenalina, aunque pone en funcionamiento una hormona de alerta. Si las mujeres no duermen después de dar a luz es porque están atentas y cuidando al cachorro. Aunque seamos de la especie humana, los depredadores existen disfrazados de interferencia (que vengan la enfermera, la partera, el médico, tu marido, la luz, el ruido).

Las leonas o las perras no se separan de sus cachorros, las mamíferas humanas, sí. Sin embargo, en los nacimientos te cagás, gritás, puteás y te meás como cualquier otro animal.

El círculo se abre tras nueve lunas. Y después qué.

—Las mujeres llegan a embarazarse como si fuera una tarea que empieza y termina, como buscando un resultado. Las prevengo: "Llegan ingenuas a la maternidad, no se equivoquen". Y en el nacimiento no termina nada; al contrario, empieza. Desde ahí, es la vida misma; hay subidas, bajadas, curvas, días, noches, barrancos, es siempre así. Y aparecen situaciones que no entendemos, pero reconocemos intuitivamente. Porque las mujeres tenemos un conocimiento extra que aparece cuando se une el conocimiento con la confianza en lo aprendido: la sabiduría.

El parto es una oportunidad para aprender, definitivamente, aunque muchas no lo entienden así, y se quiebran. Porque cuando se embaraza piensa que alguien está creciéndole adentro, que no es ella, pero a la vez sí lo es. Para las chicas de hoy, tan metidas en la era de la industrialización, donde cualquier cosa se consigue y se controla, tener un hijo es una situación totalmente desestructurante.

Creo que las mujeres se van haciendo madres con un ochenta por ciento de ojos cerrados y un veinte por ciento abiertos. Como en la meditación, con la mirada mucho más hacia adentro que hacia afuera.

—¿El origen de "parto"?

—Lo desconozco, pero la palabra me encanta. Tengo una paciente que le dio un significado a de cada una de sus letras:

P: parar
A: abrir
R: recrudecer
T: tomar
O: otro

Parir es parar, no se puede estar pariendo mientras se hace otra cosa. Una mamá, durante el trabajo de parto, esperaba gente para participar de un ritual llamado Temascal, de origen Inca. Cuando empezaron las contracciones regulares se puso a cocinar, para distraerse. Entre contracción y contracción, preparó una olla entera de té y el cuarto donde iba a dar a luz. Mientras, su marido recibía a la gente y los llevaba hasta el salón donde se celebraría el ritual. De película. La mujer cocinó casi hasta el último momento, pero cuando llegaron las contracciones fuertes, tuvo que parar.

Nosotros tenemos una franja de pacientes especiales. Son personas que eligen sentirlo todo.

Patricia trae momentos que vienen como de lejos, envueltos en palabras que los desvisten, y se retiran. Hasta el próximo recuerdo.

—El otro día atendí en casa el parto de Marcela, una chica criada por su abuela paraguaya, madre de once hijos. La llamaba mamá. Estuvimos las dos parteras, la abuela, y Darío, su marido, a quien dejé entrar al final; ella no quería hombres. Él, un divino, se acomodó a sus necesidades, nos traía bizcochitos y mate. Estábamos en mi cuarto, un cuarto chiquito. Marcela quiso acostarse en la cama. En cada contracción se ponía de costado o en cuatro patas, pero le dolía mucho, entonces le sugerí que contara o que pensara algo lindo. Eligió contar. Se iba la contracción, callaba y después: "uno, dos, tres...". Mientras, la abuela le hacía masajes en los pies y en la espalda. A Marcela la aliviaba que contáramos juntas. Hubo un momento en que la abuela se había quedado sentadita en la silla del rincón, yo estaba acostada en el piso con las piernas para arriba, y Violeta, la otra partera, del otro lado de la cama. Llegaba la contracción y contábamos, cuando nos dábamos cuenta de que ella cambiaba de posición y se callaba, nos quedábamos en silencio. Violeta me contó que, en un momento, diez horas después de iniciado el trabajo de parto, yo –dormida– seguía contando. Es impresionante cómo la partera se fusiona con la escena. Llovía tremendamente.

Cuando las contracciones empezaron a ser más intensas, Marcela repetía: "Mamá orá, mamá rezá, rezale a San Ramón". Y la abuela, desde el rincón, decía casi a la par: "Hacé lo que ellas dicen, hacé lo que ellas dicen, hacé..."

Será por eso que las parteras hemos sido quemadas en la hoguera, porque manejamos energías que nada tienen que ver con la medicina.

En un momento, Marcela gritó por una cesárea; le pedí que se cambiara, que nos íbamos al sanatorio. Nunca me contestó. En cambio, se sentó en la sillita de parto; Darío se ubicó detrás de ella. Cuando salió el bebé –tenía doble circular de cordón– se lo entregué a la madre; en realidad, le pedí que estirara las manos; ella lo terminó de sacar.

—*Dan a luz; iluminan lo remoto.*

—Son viajes que hago con cada mujer. El otro día una mamá hizo el trabajo de parto en su casa y quiso que la cabecita saliera en la clínica: en veinte minutos nació el bebé. Fui a la calle y me largué a llorar. Cuando se trabaja de esta manera, cuando una no induce y las cosas, simplemente, ocurren, es demasiado pesado. Cómo explicar algo tan natural y a la vez, milagroso. Cómo explicar el milagro.

Esta chica tenía mucho miedo, necesitaba tener el control. Atravesó la experiencia tan tranquilamente que no se reconocía. Después repetía y repetía “pude parir”.

Lo que más me duele últimamente es comprobar que desconfiamos de nuestros cuerpos. ¿Cómo podemos haber perdido tanto? ¿Qué es lo que tenemos que rescatar del parto? Que sólo con parar un tiempo y vibrar lo que vivimos, tenemos la información necesaria, lo demás es al pedo.

El martes atendí en el consultorio a dos parejas que habían tenido experiencias de parto traumáticas. Vinieron a mí con muchísimo miedo, estaban perdidos, sin saber a quién escuchar. La cuestión es prestar atención a nuestro cuerpo; nuestra máquina es perfecta, pero nos hemos alejado tanto que nos desconocemos.

—*¿La mayor de las sorpresas?*

—La entrega. Para la partera y para la mujer. Para el hombre también, pero yo me fusiono mucho con ella, tanto que me voy y necesito traerme, porque alguien debe cuidarla, para eso estoy yo.

—*¿Adónde irá?*

—Al vacío, a la oscuridad o a la luz. En los partos el otro me brinda la oportunidad de integrar esa luz. Y mucha sanación como mujer. Cuando termina una escena como la de Marcela que quiso acostarse en mi cama para esperar a su hijo, es impresionante. Me abre al amor.

En los últimos años he entrado en una generosidad enorme, pero no lo hago desde un lugar de "qué buena soy, doy mi cama", sino de "qué placer entregar mi cama". Si todos estamos acá, por qué no brindarnos los unos a los otros. Si un bebé nace y su madre muere, habrá otro ser para recibirlo. No estamos solos, esto siento. Y a veces sólo tengo miedo.

Un parto produce una sensación de montaña rusa, subís y bajás constantemente. Siempre me predispongo a que todo va a estar bien, aunque estoy atenta a la señal que indique lo contrario, para darle cauce y atenderla. No es una negación pensar que las cosas van a salir bien, es un deseo manifiesto.

—¿Hay temor a necesitar la infraestructura de un centro médico y no llegar a tiempo?

—Siempre tengo miedo, aun estando en las clínicas.

—¿Te pasó que no llegaras a tiempo para resolver una emergencia?

—No.

—¿Cabe la muerte?

—Todo puede pasar. Sabemos que ésta es una situación límite tanto para la mujer como para el niño. Esto se calla y es peligroso; ayuda a poner las fantasías en palabras. Yo siempre digo que en los encuentros preparto hay que hablar de la vida y de la muerte. Hasta la medicina tiene un límite.

Recomiendo la lectura del libro *Rito de pasaje*, de la antropóloga Robbie David Floyd. Ella plantea que el parto es un ciclo, y los ciclos son ritos de pasaje: algo se muere para que empiece otra cosa.

Hay instancias que se mueren para siempre: el dejar de ser hija.

—Sé de una mujer que amaba a su madre de tal manera que inhibió su maternidad y se quedó con ella. Eran las dos, siempre.

—Claro, porque cuando sos mamá, dejás de ser sostenido para empezar a sostener. Y el duelo, tiene que ver, sobre todo, con el despedirse de algunas situaciones para siempre; a partir de la maternidad, la vida va para adelante, de la mano de tus hijos.

Quizá, la cuestión pase porque los hijos puedan ser respaldados por sus padres toda la vida, pero no apegados, y es diferente. El apego no te permite dar un paso sin mirar atrás, en cambio el sostén, desde un lugar adulto, te posibilita pedir consejos y decidir por vos mismo.

Patricia le informa a su hijo adolescente que está en la habitación –quién lo hubiera imaginado–, que se le hace tarde para la clase de inglés. Cinco minutos después se acerca a nosotras, listo. La madre lo besa, atrapa la cara en sus manos.

—Por otra parte, creo que la experiencia de ser madre por primera vez significa que nunca más vamos a estar solas. Esto dice la psicopedagoga Laura Gutman: "Un útero que fue ocupado nos completa para siempre, aunque después se vacíe". Y muchas mujeres no se lo bancan.

—Pensé que se referiría a la dicha, exclusivamente.

—Al amor se lo tiene idealizado, pero cuánto se ha lastimado en su nombre. En realidad, en cada uno opera de forma diferente y de acuerdo a la propia historia. Al parir, algunas se quedan pegadas a la muerte y al duelo; otras, a la vida. Y esto no tiene ni juicio ni tiempo. Muchas veces, las chicas, en el grupo de reflexión posparto, preguntan cuándo se termina la sensación de estar disociada. Porque hay que legalizarlo: no es fácil estar sosteniendo a otro ser durante veinticuatro horas. Hasta que se corta el cordón, el bebé funciona como órgano interno. Cuando nace, pasa a ser un órgano de somatización externo; está afuera del cuerpo, pero no deja de ser tuyo.

Cuando este órgano llora y llora, lo primero que hago es preguntarle a la mamá cómo se siente, si está en un momento de paz y serenidad, si –de verdad– soltó. Porque este niño que energéticamente es parte de su cuerpo por mucho tiempo, está conectado con su energía. Se dice que el lazo emocional con los hijos se mantiene hasta la adolescencia.

Siempre digo que hay madres para criar bebés, otras para criar niños de primera infancia o adolescentes, y otras que se vinculan, de verdad, cuando sus hijos son adultos. Sabemos que, después de nacidos, necesitan tres años de apego, pero para algunas mujeres es demasiado.

"Fueras" de sí

—El bebé mama el pecho. Suyo, qué duda cabe.

—Amamantar es una continuación del acto de dar a luz. A medida que el embarazo avanza, el deseo sexual que, normalmente, se ubica en la vagina, crece con la panza, va subiendo y, por muchos meses, se instala en las tetas.

La mujer tiene la fantasía de que se trata de un acto unipersonal, que ella "da la teta". No es así, es una vivencia compartida. Porque la madre amamanta solamente; en cambio, recibe millones de cosas: la mirada, el olor, el contacto, el calorcito, el "orgasmo" que no está legalizado, pero existe.

—Sé de un marido que acomodó el cuarto más calentito de la casa para recibir a su mujer y al bebé. Durmieron solos, madre e hijo durante dos meses; él se instaló en otro, se ocupaba del hijo mayor. A nadie contaron de la movida.

—No me sorprende. Una mujer que se queda sola con su cría es vista como enferma, hasta pecaminosa. No hay que olvidar que, al estar en contacto con su bebé, cuerpo a cuerpo, vive una intimidad total. Y qué es esto sino otra cosa que sexualidad. No genitalidad, sexualidad. Nos asusta no poder rotular lo que sentimos.

El varón no podría acunar a su hijo durante dos meses encerrado en una pieza, no lo contuvo durante nueve meses. Pero el día que ese niño necesite a alguien para que lo ayude a cruzar la calle, va a llamarlo a él, va a necesitar su energía masculina. Un hombre puede maternar, pero no lo va a hacer con la misma esencia que una mujer. Una madre puede desarrollar la energía masculina, pero tiene que esforzarse mucho, y nunca es igual.

La diferencia entre maternidad y paternidad es que él puede entrar y salir de sus hijos porque tiene pene: entra y sale. Mientras trabaja no está pensando en ellos; la madre sí. Un hijo atraviesa a la mujer, y a toda su vida. El hombre, a no ser que se enferme o sufra algún quiebre profesional, no entra en crisis.

Danila confiesa que amamanta, y un cosquilleo despierta los dedos de los pies para trepar entre las piernas y desbaratar las rodillas. Silvia se declara anorgásmica durante la lactancia. Sofía se angustia por tener poca leche, poca y nada.

—Es una locura pautar el amamantamiento cada tres o cuatro horas. Los condicionamientos pierden la esencia del dar y el recibir. Además, en las dificultades para amamantar, se cruza lo que hemos mamado de nuestra mamá, lo que sentimos hoy, más el bombardeo cultural.

Por otro lado, amamantar es como hacer el amor cinco, seis o siete veces por día. Hay que imaginar a una mujer que nunca en su vida ha sido acariciada, que tiene dificultades para que la toquen y para tocar; de pronto, pasa de contener a su bebé en la panza a tenerlo prendido las veinticuatro horas del día. No es fácil.

Entonces aparece lo encubierto. A veces la oscuridad posibilita el crecimiento; a veces, no.

Patricia resume las enseñanzas de Bert Hellinger en esta frase: "La vida nos es dada, el siguiente paso es tomarla".

—Tomarla implica diferenciar qué es mío, qué no. La lactancia puede complicarse cuando significa aceptar que nadie te acunó. Meterse ahí no es fácil, es meterse en el dolor. Entonces, puede pasar que recrudezca la bronca y se entre en un estado de autoexigencia feroz que te impida conectarte con vos misma, y con el presente. Porque, para conectarse con el presente, hay que liberarse del pasado. Esto es hondo. En el mejor de los casos, aceptás la madre que tuviste, la soltás y te ponés a mirar lo que te toca, lo que sos capaz de hacer y de dar.

No hay parto sin dolor. Duele dejar lo viejo y animarse a ser uno mismo.

—El dar y el recibir al compás de un acordeón a cuatro manos.

—Destetar es otro parto, es una despedida, gradual y de a dos. Mi abuela decía que no se pueden quemar etapas; yo no la entendía, ahora sí, cuanto más rápido se hace el corte, antes aparecen las necesidades desplazadas y se vuelve –inconscientemente– a buscar lo que nos faltó. Por esto, se pueden tener cuarenta años y no querer irse de al lado de mamá.

—En una película, seres extraterrestres borran el recuerdo de las madres sobre los hijos para analizar el porqué de este vínculo tan profundo, en realidad, indisoluble.

—Es que no existe una conexión más fuerte. No sé con qué tendrá que ver, con la supervivencia de la especie, quizá, y porque el vientre de la madre fue nuestro primer hogar, el lugar donde fuimos aceptados o no. Los agujeros negros aparecen ante el rechazo, entonces no te queda otra que aceptarte.

Alguien definió el encuentro con el amor de su vida con un "llegué a casa".

—*¿Por qué habrá que ser mujer para parir?*

—Con sólo mirar la forma del útero entendemos que la nuestra es la energía de la madre tierra. Cuando cae una semilla, la *pacha mama* la recibe, y si ese pedacito de tierra es fértil, le permite crecer.

A mí no me enseñaron a ser mujer, fui aprendiendo a través de la experiencia, de no descartar nada de mi pasado. Incorporando la sombra: lo no dicho, lo mentido, lo oculto.

—*¿Podrías haber sido partera sin ser mamá?*

—Se ayuda a parir estando en los partos; ni leyendo libros ni siendo mamá. Entiendo que a las mujeres les pega mucho esto, lo consultan. Sin embargo, una mujer sin hijos puede tener una actitud maternante maravillosa; quizá, porque fue criada por una madre sostenedora. No podría argumentarlo teóricamente, lo veo en la práctica; hay obstétricas o parteras que tienen hijos y, de todas maneras, no saben acompañar. Son crueles.

Lo que noto, sí, es que en las parteras sin hijos hay una energía que no madura. Como si faltara algo, no podría explicarlo, es una sensación. Por otro lado, y lo remarco, un hombre puede atender partos pero nunca va a ser igual, no se le despiertan los mismos sentimientos. Ellos no se embarazan, no paren. La partería tiene que ver con el despertar femenino y con entender que nuestro universo es una experiencia intransferible. El parto es una cuestión de mujeres.

Pensándolo bien, si no fuera mamá, sería partera, pero no la partera que soy.

Parte, ella también.

—Atender nacimientos es una energía tan bipolar que podes irte a la luz y sentirte bendecida por cada nueva vida; o a irte a la sombra y quedarte ahí. Cuando se me mueve la bronca llego a casa y sólo veo desorden. Abro esta puerta y necesito que me abracen y no hay nadie, y lloro; las veces que me he acunado sola. O me lo cojo a Pedro, porque la energía que se mueve es tan poderosa que aparece lo que hay, el presente.

Su primera persona

—*¿Cómo naciste?*

—Para quedar embarazada de mí, mamá tuvo que hacerse una cura de sueño. Ella venía de una experiencia traumática, mi hermana nació con fórceps y tres años después, perdió un embarazo de cinco meses.

Mamá me esperaba para el 9 de diciembre, pero como papá se enfermó de hepatitis, lo internaron. Entonces, decidieron internarla a ella también, varios días antes de la fecha. Pasó tres días mirando la cúpula de la Iglesia de Pompeya. Me contó que tenía miedo. Claro, una mujer hospitalizada y sola, su cabeza iba a mil. Como al tercer día no pasaba nada le dieron goteo; yo nací rápidamente. Estoy convencida de que adelantaron mi nacimiento. Por esto reivindico los derechos del niño: que nazca cuando tenga que nacer.

—*Ser partera y madre te permite reparar, supongo.*

—No hace mucho que disfruto de la maternidad. Me pesaba demasiado la relación con mi madre. Recién ahora siento que maternar es un arte.

Hace dos horas que conversamos, la noto cansada. Cuenta que está menstruando, que siente cuando sale el óvulo y estalla; entonces, se paraliza y se acuesta y pasa medio día en cama. No por el dolor, sino porque se permite parar. Parar: parir.

—*¿Cómo se te ocurrió ser partera?*

—A los dieciséis años estuve en coma; me marcó. Mi vida fue un antes y un después. Tuve experiencias espirituales, de otro plano. Y cuando volví –de alguna manera– me di cuenta de que la vida no era sólo tener mamá, papá y un título. Pensé estudiar algo que tuviera que ver con lo espiritual, buscaba un marco teórico; tal vez teología, pero no. Seguí buscando hasta que se me ocurrió empezar por dónde venimos. Me maravilló el hecho de que los seres humanos tengamos una gran parte de responsabilidad por lo que ponemos –óvulo y esperma– y que haya otra parte en la que no incidimos para nada. Y ambas se alimentan; misterioso. Me atrapó la concepción de la vida en su estado de salud. En realidad, somos seres sanos. Si el cuerpo nos fue dado y, en primera instancia podemos menstruar, entonces podemos dar a luz sin pedirle permiso a la medicina. A no ser que surja alguna alteración, claro. Cuando trabajo me conecto con esto, con lo vital. La enfermedad también es parte, pero aparece después. Si cuando se unen el óvulo y el espermatozoide están enfermos, lo más probable es que el cuerpo –sabiamente– los expulse.

Reconozco que mi elección fue inconsciente, después de haber estado enferma, elegí quedarme en la salud.

También soy partera por mi fusión con el bebé, me trae recuerdos. Cuando salí del coma, me sentía recién nacida; los ruidos me molestaban, los semáforos, la voz –este tono– me sonaba a megáfono, deseaba abrazos y que me susurraran al oído. Recuerdo cuánto me costaba levantar los párpados. Sentía el peso de la carne. No toleraba lo que significaba volver a adaptarse a las energías de la tierra. Desde ahí, empecé a entender el universo del bebé. Yo observo y digo que ellos necesitan reparación rápida de los brazos porque, de estar apretujados en el útero, salen a la nada. Comparable a tirar a un adulto al océano.

—*¿Otra partera en la familia?*

—No, pero hace un año que estoy saliendo con Pedro, un médico homeópata. Su abuela era partera. Fue una revelación para mí. Nuestro encuentro no fue casual, queda claro.

Por otro lado, después de muchos años de trabajar en psicoanálisis, me enteré de que mi abuela materna murió por un aborto. Tal vez mi elección inconsciente fue sanar este vínculo.

Patricia recuerda momentos de miseria económica en los que rechazó la práctica de abortos. No estaba en su naturaleza hacerlos, así de simple, así lo explica.

—¿Qué madre has sido?

—Exigente. Y me las tuve que ver en figuritas para tapar agujeros que tenían que ver con el padre de Iván y con mi relación con los hombres. En vano, por supuesto, porque se notaban igual.

Pero nunca me he sentido sola. Siempre hay algo o alguien que me acompaña.

—¿Cómo pariste?

—No parí. Tuve una cesárea innecesaria a las treinta y nueve semanas. Y no me lo reprocho. Fue en ese momento de mi vida, sin el trabajo interno que tengo ahora, a los cuarenta y dos, y con una pareja que no me acompañó a zambullirme en el mundo femenino profundo. Las mujeres podemos parir cuando tenemos un varón que nos habilita.

Mi cesárea reforzó mis deseos de buscar un camino alternativo. Yo ya era partera, pero sumisa.

—¿Tu mamá?

—No me acompañó a mí, acompañó al bebé. Iván fue el primer hijo varón de la familia, yo tenía miedo de que me lo sacara. Complicado, mucho no resuelto. Descubrí que realmente las mujeres necesitamos que nos acunen a nosotras, no a nuestros hijos. (Pero uno tiene vergüenza de pedir). Nadie nos dice que, para criar un bebé, la cadena de sostener tiene que ser clara, como el efecto dominó, donde una ficha no empuja directamente a la última, pero la empuja. Si cae la primera, acaba tirando a la última. El bebé debe ser sostenido por la mamá, que necesita apoyarse en el hombre. Lo demás no sirve.

Cuando la cadena mantiene un linaje, la energía que se consigue es maravillosa.

—El corte de Iván.

—Dicen las filosofías orientales que cuando nace un niño se mueven experiencias de tipo generacional hacia atrás y hacia adelante. Yo, que nunca discutí si creía o no en esto, pude ver, a través de mi trabajo, que sí ocurre. Porque cuando uno dice: "Esto no me pertenece, era de mi abuela o de mi mamá...", entonces, aparece la capacidad de plantarse en los dos pies, mirar hacia atrás y decir: "A esto me lo llevo al parto, o no".

Lo que más lastima a una mujer es lo no dicho, por eso hay que cortar la panza. Mi cesárea tiene que ver con esto. No sé si me va a volver a salir...

—Descubre su cicatriz, la encierra.

—La gran mayoría de las cesáreas se dan por no haber podido dar a luz un montón de cosas, por dolor y, además, por la edad. Hay jovencitas que son capaces de desplegar su vida como un juego de cartas, pero hay otras de cuarenta y pico, que no. Cuando no pueden sanar, este bebé tiene que nacer por algún lado; entonces, corto. Si un bebé no nace, se muere, así de simple.

Y no culpo a las mujeres que quieren una cesárea, porque debe haber tanto dolor que dicen: "No puedo, ayudame con un bisturí", para que siga habiendo más dolor. Porque en la cesárea obviás las contracciones que te separan de tu bebé, pero lo hacés después, y para siempre. La vida es un disco rayado que vuelve y vuelve, como la gotita que horada la roca. Pedro es médico homeópata, él habla mucho de la supresión: si al eccema lo tapan con una Curita, no sanó, se fue a otro lado, hacia adentro.

Yo no fui capaz de desplegar la historia que tenía que ver con mi madre, con mi abuela y conmigo. De chiquita fui golpeada. También sufrí la violencia sutil, más peligrosa aun, porque no se detecta. El no ser escuchado, por ejemplo. (Me resulta difícil volver a estos lugares). Mi madre tenía un agujero tremendo –lo sigue teniendo–, pero ahora la amo con todo mi corazón. Ahora entendí. Quiero contarte algo, por favor, apagá el grabador.

Hubo un momento en que la madre fue capaz de confiarle su más íntimo secreto. A salvo queda.

—Por supuesto que el ser partera no me hace tener claros mis afectos. Hay momentos de bronca. Aunque, últimamente, me estoy llevando bien con mis padres, los acompaño, los veo viejitos, veo que un pedazo de mi historia está muriendo con ellos. Y está naciendo una nueva Patricia.

Cuando uno es joven cree que nunca va a ser huérfano, o mantiene esta fantasía para sobrevivir. Hoy me considero afortunada porque estoy teniendo la oportunidad de despedirme.

—El domingo, Iván cumple diecisiete años. Este verano, Patricia y Pedro se casan. Nueva vida en Bella Vista.

—Es la primera vez que incorporamos a otro, y a Iván se le mueven muchas cosas: soltar, no soltar, crecer, no crecer. También con él, como con mis viejos, entiendo que no hay otra cosa que acompañarlo y decir la verdad.

El otro día me reprochaba nuestra mudanza a Bella Vista, que yo elegí ese lugar porque Pedro vive ahí, exclusivamente. Le di la razón: "Porque ahora estoy pensando en mí, porque es hora de que empieces a seguirme hasta donde quieras. De acá a cinco años, vas a elegir tu propia vida".

Le abrí las puertas. Me cuesta. Como mamá tiendo a retener.

—*¿Estás cansada?*

—Tengo momentos de crisis, de pensar en ponerme un quiosco porque esto es demasiado para mí, no doy más. Basta imaginar la escena de hace sólo dos noches: Betina sentada acá mismo y pariendo; su compañero sosteniéndola desde atrás, una maravilla. Cuando el hombre es la otra mitad, es como tocar el cielo con las manos.

—*Creí que había terminado.*

—Siempre les pasa a las otras. ¿Y a mí, para cuándo?

Patricia quiebra su espalda, abre las manos y las piernas; recibe en el aire a la hija que sueña; se llamará Abril. Quiere parirla.

Parto

No lo suelto
No puedo
Me parte
Duele como tajo
Lanzo ya
Brutal

Habrá tapa
 prólogo
 edición
 críticas

Habrá final

Y vacío.

Otro principio.

Índice

Impreso en Primera Clase Impresores
California 1231 - Buenos Aires.
Tirada de 2.000 ejs.
Octubre de 2009.

